普 天 之 下 · 盡 是 好 書

普天出版家族
Popular Press Family

凌雲文創
A-Plus Creative Company

春秋末年，吳楚越三國由於累年的血仇，爆發了長達近一個世紀的廝殺與混戰。
三個男人——伍子胥、吳王夫差、越王句踐，共同演繹了一段血淋淋又驚心動魄的爭霸歷史。

逃亡、怨咒、暗殺、鞭屍、隱忍、陰謀、反間、背叛……層出不窮！這三個男人，
用他們的憤怒和隱忍、國仇與家恨，譜寫一世紀的仇恨與廝殺、一世紀的陰謀與爭戰，
簡直就如一個暴力美學大師構思出來的好萊塢巨片。

江湖閑樂生 著

精采完結

春秋那些事之吳越爭霸

The Most Interesting History of China

崛起與覆

三個國家、
三個男人的
陰謀與戰爭！

出版序

黃金時代中的黃金時代

春秋末年吳楚越三國之間這段持續了近百年的戰爭，是一段彌漫著血腥與殘殺、充斥著陰謀與仇恨的歷史，揭示著歷史深處最慘烈也最黑暗的一面。

•江湖閑樂生

西元前六世紀下半葉到西元前五世紀上半葉這近百年，是一段很重要的歷史，也是一段很有意思的歷史。

期間，中國發生了兩件大事。

第一件大事，是思想文化的大變革。

它爲中國迎來了第一個黃金時代，而且是黃金時代中的黃金時代——百家爭鳴的春秋末期，以及之後的戰國兩百年。

此時，人們的思想空前活躍、空前自由、空前開放。從前由世襲貴族壟斷國家政權與文化的局面被徹底打破，社會的中間階層「士」開始崛起，並不斷挑戰逐漸腐化墮落的諸侯大夫們的權威。

世襲的貴族們不斷地掙扎反攻，也獲得不少勝利，但他們終究阻擋不住洶湧而來的歷史浪潮，最終不得不承認一個事實：憑著祖先留給自己的DNA就能主宰一切的時代已經過去，思想與能力才是新世界深情呼喚的最美旋律。

於是，無數風流人物站了出來，引導中國走入光芒四射、美不勝收、輝煌燦爛的夢幻之路。我們應該向他們致敬，因爲這是民族思想文化的根源。他們分別是：以孔丘、季札、子貢爲首的儒家代表，以孫武、伍子胥、范蠡爲首的兵家代表，以及以漁父、專諸、要離爲首的俠文化代表。

正是他們，靠著自身高尚的情操、超人的智慧，以及不懈的努力，改變中國的歷史進程與中國人的心靈世界。只不過，儒家是用刀筆、口舌與思想；兵家是用士卒、戰車與謀略；俠士，則是用勇氣、忠義，甚至鮮血與生命。

在這群人的影響下，天下終於百鳥齊飛，百花怒放，百家爭鳴。

他們大多是平民或下層貴族，但敢於打破階層的藩籬，周遊列國傳播思想，執著不悔地實踐自己的政治理念，甚至不惜以生命扶助弱小，挑戰強權。那鮮活而生動的靈魂，那時刻閃爍與跳躍的人性光輝，是中國五千年歷史中最難得的一抹亮色。

第二件大事，是政治結構的巨大轉變。

這段期間，正值春秋戰國之交，尊王攘夷、大國稱霸的歷史即將結束，列國爭雄、兼併統一的時代將要來臨，國家在歷史的陣痛中分娩希望，各個民族在混亂而多元的五色裂變中融合凝聚。我們應該感謝這個時代，倘若沒有它，中國將長時間沉醉在希臘那樣的鬆散聯邦制度中，最終分崩離析。

春秋初期，周室王權雖已式微，但尚有號召諸侯之力。此時，處於中原四周的蠻夷、戎狄與荊楚交相入侵，嚴重威脅華夏民族的生存，於是齊、晉等大國站了出來，尊王攘夷，領導諸侯，成為一時霸主。周室王權雖已不復從前的號召力，但還有霸主代為行使周天子的職權。此時的中國，還是屬於希臘那樣的鬆散邦國制度。

然而到了春秋末年，入侵中原的蠻夷中，戎、狄已被征服或驅逐，南邊的楚國仍然強大，但當時的霸主晉國已不復從前之威勢，無法領導諸侯對其進行有效的打擊。

於是，與中原之華夏諸侯同出一源的東海小邦吳國，以及更加弱小的南方部族越國站了出來，接過歷史使命，開始了小國崛起之路。正是這兩個小國的崛起，徹底將晉國與楚國的霸業埋葬。由此，天下陷入了戰國時代。

或許在大家的印象中，春秋末年吳楚越三國之間這段持續了近百年的戰爭，是一段彌漫著血腥與殘殺、充斥著陰謀與仇恨的歷史。沒錯，一提到昭關白髮、專諸魚腸、挖墳鞭屍、臥薪嚐膽，腦海中總會浮現出滅門、逃亡、怨毒、暗殺、隱忍、反間、背叛、自殘等血淋淋的字眼，點點墨痕，化淚淌血，揭示著歷史深處最慘烈也最黑暗的一面。有時候，甚至會給人一種錯覺，彷彿這一段正史，其實是一部暴力美學大師構思出來的好萊塢巨片，或者是一段充滿了濃厚江湖仇殺色彩的武俠傳奇。

然而，歷史的進程就是如此。沒有毀滅，哪裡來的新生？沒有黑暗，哪裡來的光明？它越慘烈，就越悲壯；它越悲壯，就越引人深思。如果所有小國都被大國欺凌而唯唯諾諾不敢反抗，如果所有臣民都在專制制度的強壓下甘作奴才苟且偷生，這樣一潭死水般的歷史，又有什麼意思？

把握了歷史的大脈搏，就會發現，吳楚越三國之間，在長達一個世紀的廝殺與混戰的同時，也融合進了中華民族這個大系統之中。無此，哪裡來的泱泱中華？

還是讓我們回到兩千多年前，回味民族生命力最旺盛的大黃金時代吧！

爲了讓大家更清楚地瞭解這段歷史，我查閱了大量資料和野史軼聞，親自沿著長江從西到東行，實地考察了湖北、江蘇、浙江等地的風土人情，希望能撥開重重迷霧，儘量還原出這一段遙遠而神秘的宏偉歷史。在尊重史實的前提下，我摒棄了死板的學究式的說教，努力將其詮釋得富有後現代娛樂意味，希望能夠一反讀史的習慣，算是嘗試一下講述歷史的新思路。

如果你對兩千多年前中國人的思想生活方式感興趣，請讀一讀這本書。如果你想知道季札、孔丘、子貢等儒家人物如何用自己的才智改變歷史，請讀一讀這本書。或者，如果你對江南地區的風土人情歷史傳說感興趣，也可以讀一讀這本書。

如果你想知道弱勢如何戰勝強權，如果你想知道小國如何在大國林立中崛起稱雄，請讀一讀這本書。或者，如果你喜歡研究軍事，對冷兵器時代的戰爭謀略感興趣，特別是對其源頭兵家聖祖孫武的思想和生平感興趣，請讀一讀這本書。

如果你看慣了不公，歷經了挫折，希望振奮自己的精神，學習古人的慷慨血性，請讀一讀這本書。或者，如果你生活壓抑，渴求熱血，希望感受一下鐵馬沙場的奇妙體驗，請讀一讀這本書。

最後，如果你恨透了歷史教科書的死板生硬，又不想被評書小說電視劇誇張的演繹蒙蔽，更喜歡輕鬆隨意地躺在床上，像看一個有趣的故事一樣享受歷史，務必讀一讀這本書。平庸如我，只有儘量將這段歷史演繹得輕鬆好玩一點了。

第10章 越國崛起

有了一系列優惠政策，越國人開始死命地生孩子。那年頭，大家不是比誰家有錢，而是比誰家生的孩子多。要是家裡小孩多，走在路上備受尊敬，倍兒有面子。

第11章

風雲突變，後撤的吳軍忽然左右讓開，從中間殺出一支龐大的生力軍，正是剛吃飽飯精力旺盛的吳國三萬中軍。原來鳴金不是退兵的信號，而是反攻的號角。

第12章

侍衛們將伍子胥的屍體拋向江心，立即聽見陣陣可怕的巨響從江中傳來，錢塘江巨浪滔天，蕩激崩岸，彷彿在挑戰著獨裁者的權威，發洩著漫天溢海的怨憤。

1.抉眼潮神／180
2.王者之劍／191
3.越女劍／199
4.弩霸天下／210

第13章 江山美人／217

六月二十二日，越王句踐盡占姑蘇外城，將太湖上的吳水軍大小船隻，連同夫差給西施造的特大遊艇，一齊繳獲，又放一把大火將姑蘇台、館娃宮燒成灰燼，火勢沖天，數月不熄。

1.暴風雨前的寧靜／218
2.春夢一場／228
3.爭盟／236
4.放你一馬／246

第14章 從春秋走向戰國／251

西元前四七三年十一月，包圍到了最後關頭。寒風摧殘著吳國人的求生意志，城門上再找不到一個能站起來的士兵。空蕩蕩的街頭，躺滿了屍體和奄奄一息的百姓。

後記 從吳越相爭，究竟告訴了我們什麼？／296

第8章

攻越

數百名罪犯倒在吳軍士兵眼前，大風將濃重的血腥味吹散開，所有人瞠目結舌。死人誰沒看過？可是數百個人在眼前「集體自殺」這樣的震撼情景，誰曾看到過？

5 烈焰

箭在夜空中劃過一道完美的曲線，靈姑浮慘叫，捂住胸口跌落船下，迅速地沉入太湖中。伍子胥負弓立在船頭，仰天長嘯，血染的白髮隨風飄散，宛如戰神下凡。

吳國厲兵秣馬籌備報仇的這三年，越王句踐也沒閑著，他明白吳越一戰在所難免，便也日夜整兵練武，鼓搗出一支三萬人的大軍來，並將國都從會稽山地中的句嵊山（今諸暨牌頭）北遷到山麓沖積扇的頂部，即今紹興市平水鎮之北的平陽。

這算是范蠡的主意，他說：「今大王欲國樹都，並敵國之境，不處平易之都，據四達之地，將焉立霸王之業。」意思就是，大王你要跟吳國爭霸，待在山溝子裡當山大王是沒得用的，咱們只有往山下的平原走，依山靠水，盡得地利，才能和吳國一決高下。

句踐和范蠡的這個策略本來是挺有遠見的，寧紹這一片寬廣的平原，具有背山面海的形勢，距南面不遠，就有山林之饒，而平原北緣瀕海，又有魚鹽之利。平原上氣候暖熱，水土資源豐富，如此得天獨厚的自然環境，正是於越部族可以大力發展的好地方。

不過，伍子胥和夫差當然不會給他們時間，任其順利坐大。吳王夫差二年，也就是西元前四九四年的二月，吳國傾全國十萬大軍，以伍子胥爲大將，伯嚭副之，從太湖取水路攻打越國。

吳越之間的第二場大戰，爆發了！

該來的終於還是來了，越王句踐將文武大臣們全召集了起來，商量如何應對這個自建國以來最大的危機。

君臣對於目前事態的看法，主要分爲三派。

第一派就是以句踐爲首的主戰派。他的意思是想先發制人，拒敵於國門之外，這樣就算戰敗，還有退路可走，不至於坐著等死。

第二派是以范蠡爲首的主守派。他說：「不可，臣聞兵者兇器也，今吳強越弱，不到萬不得已，咱們不能主動出擊。依臣看，大王不如堅守城池，跟吳國打消耗戰。」

第三派是以文種爲首的主和派。他說：「吳之甲兵，天下莫強。伍子胥這個人，更是天下英雄。吳國有這樣的良將指揮，我們對獲勝並沒有絕對把握。依臣看，大王您不如勒兵自守，同時用謙卑的辭令向對方求和，大丈夫能屈能伸嘛，退一步，海闊天空。」

總的來說，范蠡和文種對吳越雙方的實力還是有比較清醒的認識。吳國的兵力三倍於越，而且又由伍子胥親自帶隊，要跟這幫矢志報仇的「拚命三郎」鬥，絕對討不了好。可是句踐對於二人的分析一點兒也聽不進去，這別人欺負到自己頭上來了，咱們怎麼能當縮頭烏龜呢？三年前我能幹掉闔閭，今天我就能幹掉伍子胥！我就不信了，他伍子胥有三頭六臂？

這個時候的句踐還是太嫩，年輕氣盛，容易犯冒險主義錯誤。他也不想想，伍子胥可是輕敵好勝的吳王闔閭可以比的？更何況經過檇李之戰的洗禮，吳國的軍隊早非吳下阿蒙，再想跟他們玩類似「集體自殺」的那一套，恐怕是行不通了。

便聽句踐說：「你們兩個，怎麼能長他人志氣，滅自己威風呢？寡人已經決定出戰了，爾等無須再言！」遂悉起全國三萬精兵，親自率領，從會稽山下的固陵軍港出發，入太湖，在夫椒山與前來的吳軍展開決戰。

夫椒山是太湖中的一個島嶼，也就是今天的太湖西山島洞庭西山。兩軍就在這小島附近的太湖水面上，展開了一場激烈的水戰，是為著名的夫椒之戰——注意！這是中國歷史上有記載的第一場大規模水戰。

早春的清晨，寒風吹過太湖煙波浩渺的水面，霧色中，只見在夫椒山頂立著一隊全副武裝的越國武士，為首二人，一個是越王句踐，另外一個是他的寵臣石買。

句踐回身對石買道：「范蠡和文種兩個老傢伙，還沒開打就說輸，眞是太沒用了，所以寡人讓他們負責接應，破例讓你主持此戰。石買，你可不要讓寡人失望。」

石買躬身道：「范蠡和文種兩個老屁股，憑著一點兒小聰明，到處招搖撞騙，我早就看他們不順眼了。此二人周遊列國，跋山涉水，無緣無故自動跑到越國來，恐怕不一定有眞才實學。如果有本事，當年在楚國、在吳國的時候，怎麼沒有受到重用？就算眞有些歪門邪道，咱們也不能太相信。正所謂非我族類，其心必異，文種、范蠡和伍子胥其實都是楚國人，楚國人最奸詐了，誰知道會不會是間諜來著！眞到關鍵時刻，還得靠我們這些正宗的越國人。大王放心，臣此次一定不負所託，叫夫差和伍子胥有來無回！」

這個世界，只要有人的地方，就一定有小人，楚國的費無忌、囊瓦，晉國的荀寅、吳國的伯嚭、越國的石買，從古到今、從南到北，天下烏鴉一般黑！

句踐沒有說話，陷入了沉思之中。是啊！兩個外國人，毫無利己的動機，怎麼會把越國人民的事業當作自己的事業？看來我也不能太聽文種和范蠡的，得打一場勝仗來證明寡人是對的才行！

正說著話，太陽出來了，金色的光驅散濃霧，露出了碧藍碧藍的天空，廣袤無垠的太湖上波光搖曳，幾隻水鳥振翅飛過，習習微風掠過臉龐，帶走了鳥叫的聲音，天氣好得出奇。

句踐舉著望遠鏡極目四顧，只覺心曠神怡，哪裡像是大戰一觸即發的樣子？如果不是山下湖面上大片越軍戰船上飄揚的旌旗，只怕眞會錯以爲自己是來太湖觀光旅遊的。然而，就在句踐心情放鬆，準備把望遠鏡從眼前拿開的時候，突然，一隻戰船、兩隻戰船、三隻戰船……千隻戰船……

抬眼望去，萬艦齊發，刀槍林立，旌旗飄飛，吳國戰士的面龐似乎清晰可見。大軍來啦！句踐把望遠鏡一扔，拔出寶劍，大聲喝道：「快！準備戰鬥！」

石買臉上掠過一絲難以察覺的懼色，躬身道：「是！」急急忙忙下山而去。

激戰開始了！伍子胥的旗艦「復仇號」衝在最前面，吳王夫差帶著數百艘「大翼」緊跟其後，伯嚭則率領著數十艘橋船迂迴包抄。

初戰，雙方打了個旗鼓相當，先是用強弓勁弩，互相對射，待接近就開始接舷對撞，接著兩邊的水兵衝上對方的甲板格鬥爭船，不斷有士兵在慘叫聲中跌入雪浪翻天的太湖之中，還沒來得及叫就被大船壓過，葬身魚腹，戰況極其激烈。

惡戰從早晨一直持續到黃昏，不分勝負，正在膠著狀態，忽然天氣驟變，濃雲翻滾、狂風肆虐、波濤洶湧，一道道閃電撕裂天空。

吳軍倒楣了！風向對他們不利，大船都被刮向附近的小山，小船則被吹沉水底。太湖湖面上盡是破船片和被殺的兵士，小山和礁石上也堆滿屍體，鮮血染紅了碧綠的湖水，在夕陽的照耀下，無比淒涼。

吳國水軍再也無法組織起有效的戰鬥隊形，只好後退，越軍趁勢大舉進攻。吳軍敗退數十里，清點人數，十萬大軍損傷過萬。夫差頓時蔫了。

伍子胥的肩膀在激烈的戰鬥中也中了一箭，不僅血染征袍，一頭白髮也染得鮮紅。他只隨便用破布包紮了一下傷口，就安慰夫差說：「大王不必擔心，咱們暫且修整數日，待風停了，再跟越國人一決高下。」

夫差苦著臉說：「這是天不佑我呀！昨晚寡人做了個夢，夢見滿井的泉水大量湧出，我和越王爭奪掃帚，搶不贏他，還被他用掃帚掃！現在看來，這個夢果然不吉利，乃大凶之兆，還是收兵回國吧！」

伍子胥剛要回答，就見無數戰船黑壓壓地從江盡頭駛來，震天的鼓聲和吶喊聲響起，像在高唱凱旋的歌曲。島上的崖石，也清脆地發出回聲。

越國人追來了！

夫差嚇得手足無措，仰天歎道：「天乎！天乎！」

伍子胥忙大聲道：「大王，你要振作啊！越軍就要完蛋了，你做的那個夢其實是個好夢來的！我聽說，井水是供人飲用的，井水溢出，說明有吃不完的食物。越國在南方，屬火，我們在北方，屬水，水能剋火。大王夢見水，這不正是克敵制勝的好兆頭？再說了，從前武王伐紂，天上出了掃帚星，周軍卻打了大勝仗，您既然夢見掃帚，更要抓住機會，帶著人馬衝上去，打敗越國人，爲先王報仇雪恨！」

聽了這話，夫差的心中頓時湧起了無窮的勇氣，一個箭步衝到船頭，親自秉槌擊鼓，大聲喊話：「兄弟們，不要怕，咱們跟越國人拚了！」

吳軍見老大都拚了命，頓時「小宇宙」爆發，個個爭先，冒著大風和槍林彈雨，朝越軍直衝而去。

這個時候，老天也幫忙了，風向陡變，轉頭朝越軍吹。

伍子胥大喜，忙傳令：「全體弓箭手注意，上火箭！」

漆黑的夜空中登時劃過無數道燦爛的火光，將越國的戰船點燃，風助火勢，一片火海燃起，映得天空亮如白晝，整個太湖都沸騰了。

好美！好夢幻！那如煙花一般絢爛的大火，是伍子胥胸中的熊熊復仇之火，要把句踐所擁有的一切燒成灰燼。

越軍敗了，大敗！而不到一個小時前，他們還勝券在握。

這可眞是戲劇性的變化，越指揮官石買正做著美夢，準備一舉幹掉夫差，然後乘勝攻入姑蘇，搶他一大堆金銀財寶花姑娘，來個升官發財皆大歡喜，沒想到自己的軍隊這麼快就敗了，而且敗得莫名其妙，讓他簡直不敢相信這是事實。

正在愣神的工夫，無數敵軍的戰船已經衝到了他的旗艦之前，殺氣漫天而來。

石買很快做了一個自認正確無比的決定——逃命！

他命令道：「靈姑浮，我命你率領先鋒隊在此阻擊敵人，掩護主力撤退，就算打到只剩下最後一個人，也一定要撐到大王順利撤退爲止，聽到沒有？」

靈姑浮暗道了一聲命苦：好你個石買，你這不是把我往火坑裡送嗎？太狠了你！

「執行命令！」

「是！」靈姑浮無奈，只好轉身繼續投入戰鬥，帶著十幾艘戰船，義無反顧地衝向吳軍主力。

伍子胥笑：「送死的來了！聽著，包圍敵軍，迅速結束戰鬥，不要在這裡拖太久，句踐這小子還在夫椒山上等著我們去收拾呢！」

剛說完，旁邊一個小校忽然叫起來：「我認識那個爲首的越將！當年就是他殺死了先王！」

伍子胥大喜，忙彎弓搭箭，對準靈姑浮，心中默念道：「大王，你要是在天有靈，就保佑我一箭射死此人，爲你報仇雪恨。」

「刷」的一聲，箭在夜空中劃過一道完美的曲線，正中紅心！

靈姑浮慘叫，捂住胸口跌落船下，迅速地沉入太湖中。伍子胥負弓立在船頭，仰天長嘯，聲徹雲霄，血染的白髮隨風飄散，宛如戰神下凡。

三年的辛苦總算沒有白費，大王，兄弟我爲你報仇了！

6 文種的救贖

十幾天過去，吳軍沒有一點撤退的意思，每天坐在山腳下和越軍大眼瞪小眼。這下子輪到句踐傻眼了，看來吳國人這次不滅掉咱越國是不會甘休了。怎麼辦呢？

伍子胥果然是個復仇男神，這世上沒有他報不了的仇。

吳軍中一片歡聲雷動，夫差的臉上卻露出一絲不悅。好你個伍子胥，老爸的仇應該由寡人親自報才對，何時輪到你插手？

說句題外話，一般的看法，都說吳國三年報越仇是夫差搞定的，這其實是《史記》、《左傳》等史書對此事記載不詳造成的誤解。

如果有人看過對吳越戰爭記載比較詳細的《越絕書》，就會發現夫椒之戰基本上是由伍子胥指揮的。吳王夫差在這場戰爭中的表現乏善可陳，倒是有幾句驚慌失措的妙語，讓讀者額頭不禁冒出三條黑線，暴寒不止。人家說老子英雄兒好漢，這句話在夫差身上可眞是一點兒都不適用。

夫椒之戰最終以吳軍的大勝告終，但因爲靈姑浮的先鋒隊拖住了吳軍主力，石買與越王句踐得以率領殘兵順利撤退至錢塘江南岸，調集兵力再戰。

句踐不甘心，他要翻本！

可是此時，怨言已經滿天飛了。

大家都覺得指揮官石買臨陣退縮，必須爲夫椒之戰的失利負主要責任，紛紛建言說：「石買這個人實在不行！他和每個人都結怨，只知道貪求財利，貪生怕死，一個勁地瞎指揮，根本沒有長遠的眼光，是個典型的小人！大王絕對不可再任用他，否則對國家十分不利。」

可惜句踐根本聽不進去，他現在絕對不能承認自己用人失誤，否則太沒面子了，於是繼續任命石買爲總指揮，讓他率軍在錢塘江南岸的浦陽江口迎擊吳國的追兵。此時此刻，句踐只能寄望於石買能創造奇蹟，反敗爲勝，不然，還有何顏面回國去見家鄉父老？

不過，石買在越軍中已經徹底失去了威信，很多將領都不聽他的。指揮很生氣，後果很嚴重，他一連斬殺了幾個不聽話的大將，妄想用嚴刑峻法來挽回顏面，也挽回越國的軍心。

錯了，大錯特錯。連敗之下，越國的軍心完全潰散，他的法西斯專制只會造成更大的恐慌。本來就夠亂了，你還要亂殺無辜，折騰大家，這不是自毀長城嗎？

伍子胥的情報網發揮了作用，他很快就發現到越軍的不穩定因素，當即火上加油，幫石買一起來折騰越軍。

謀略很簡單，四個字：疑兵之計。

伍子胥果然是個高明的軍事指揮官，他將吳軍分為一主兩翼，白天到處設置疑兵，或北或南，這邊嚇你一下，那邊咬你一口。到了晚上，又敲響戰鼓，四處點上火把，擺出夜襲的樣子，把越軍折騰得日夜不安，恐慌的情緒蔓延到所有戰士心中。虛虛實實，變幻莫測，或許是受孫武的影響，伍子胥這隻老狐狸的行軍之道，已臻化境。

結果可想而知，沒過幾天，越軍就崩潰了，有的當了逃兵，有的投降了吳軍。石買沒辦法，又加大鎮壓力度。

想當然爾，這只會造成反效果，殺的人越多，跑的人也越多。

這仗，沒法打了！越軍中群情激奮，鬧哄著要譁變，乾脆衝進越王句踐的行宮，來了個兵諫。

「不殺石買，不足以平軍憤！大王，動手吧！」范蠡站在堂下，面色平靜地說。

殿外傳來士兵們山呼海嘯般的吶喊：「殺石買！殺石買！」

句踐長歎了一口氣，無力地癱倒在王座上，喃喃地說道：「范大夫，你是對的，寡人錯了。當初不聽你的話，現在落得如此結局，石買誤我！奸臣誤我啊！」

是啊！這一來二去，三萬精兵被石買和伍子胥折騰得只剩下五千不到，句踐眞是辛苦半輩子，一夜回到解放前，腸子都快悔青了。

「事已至此，大王無須自責，只要咱們重新振作，越國還有希望！」

句踐點了點頭，眼神又恢復了堅定，大步邁到殿外，面對五千甲士，大聲道：「石買誤國誤民，亂殺無辜，罪不容赦！來人啊！把他押上來處死！」

石買早就被譁變的士兵綁成了粽子，聞聽大王發話，立刻有人跑過去，把他推到了句踐面前。

「大王，我對越國有功，不該死呀！」石買搖晃著一頭亂髮，歇斯底里地喊著。

句踐一揮手：「砍了！」

幾個士兵早已按捺不住，衝上來亂劍齊下，將石買砍成肉醬。越軍歡聲雷動，法西斯魔王總算死了，大快人心！

石買之死，表面上看只是一場兵變，其實是越國本土派大夫與外聘派大夫權力鬥爭的結果，其中的玄機我就不多說了，大家自己去領會。

越軍山呼海嘯的歡叫聲也傳到了吳軍的軍營，吳王夫差又嚇慌了：「不好！他們一叫，一準沒啥好事兒。伍相國，這可如何是好？」

伍子胥笑道：「大王不要擔心，越軍已經垮了。我聽說，狐狸快死的時候，會咬緊嘴唇不停地吸氣。放心，越國人是兔子尾巴，長不了啦！」

夫差還是不放心：「快！你派兩個人去越國那邊打探一下，這樣保險一點。」

伍子胥派人去打探情況，句踐忙趁此機會向吳國求和。伍子胥當然不肯答應，句踐無奈，只好倉皇帶著五千殘兵逃離浦陽江口，退守大本營「會稽山」，位於今天紹興西北夏履鎮北塢村越王峥上的越王城內。

越王峥，又名越王山，城山，海拔三五四米，位於錢塘江南岸。當初，句踐就是從城山腳下的固陵軍港出發攻打吳國的，沒想到轉了半圈，又被打了回來。

雖敗，好在還有城山之險可守。

據《越絕書．外傳記地傳第十》載：「會稽山上城者，句踐與吳戰，大敗，棲其中。因以下是木魚池，其利不租。」城山及其相連的四周，完全被「木魚池」的湖水包圍，山下一片汪洋，煙波浩瀚。山屹於水，水環著山，正是有了這個天然屏障，城山變得易守難攻。吳軍追趕到此，面對山高水險，仰望頂上的越王城，只好將其團團圍住，安營紮寨，跟越軍耗著。

句踐龜縮在城山上跟吳軍對耗，伍子胥卻一點兒不著急，先派兵守住木魚池，不讓越軍取水，心裡想：「句踐困守此山，五千甲兵，沒水可不行。我不讓他們喝水，不出十日，越兵就得全部渴死，哈哈！」

他又派人給句踐送去米鹽，看起來頗厚道，其實在是告訴他們：「你們缺水，送來米鹽都沒用。沒辦法，只好乾吃啦！」

誰知城山可是個好地方，山頂有「兩竅通泉，圍不逾杯，深不盈尺，冬夏不竭，曰佛眼泉。山半有池，曰洗馬泉。中產嘉魚」（《明．嘉靖蕭山縣誌》），句踐他們根本不缺水，還可以每天抓魚吃，不知過得多滋潤，收到了伍子胥送的米鹽，轉頭就回贈了吳軍幾百條鯉魚。

伍子胥一看，傻眼了，看來越國人根本不缺水啊！沒辦法，只好跟越軍繼續耗下去了，咱們就在山下蓋房子種地，娶老婆生孩子，看誰耗得過誰！

轉眼過去了十幾天，吳軍沒有一點撤退的意思，每天坐在山腳下和越軍大眼瞪小眼。這下子輪到句踐傻眼了，他本以爲伍子胥會知難而退，沒想到這人如此死心眼，非要跟自己過不去，看來吳國人這次不滅掉咱越國是不會甘休了。

怎麼辦？怎麼辦呢？

無奈之下，他只好向三軍傳令說：「凡我父兄昆弟及國子姓，有能助寡人謀而退吳者，吾與之共知越國之政。」

先前被冷落的文種一看，這可是翻身的好機會，忙找到句踐，重提舊議。既然事實證明夫椒一戰是個錯誤，文種自然要先矯情一番，說：「我聽說做生意的人，夏天要儲備皮貨，冬天要儲備麻布，旱季要儲備舟船，雨季要儲備車輛，等待缺貨時賣大價錢。國家即使沒有四方的襲擾，但對謀臣和武將一類的人才，也不可不事先選拔培養。君王退守到會稽山上，這才想到尋找謀臣，不嫌太晚了嗎？」

句踐心裡是一肚子火，可畢竟理屈，只得降低姿態說：「是是是！之前寡人聽信了石買的讒言，是寡人的錯，悔不當初！求求您，文大夫，您有啥高論，快點兒講吧！」說完還親熱地拉著文種的手，用無辜的眼神看他，一臉眞誠，深情如水。

文種點了點頭，搖頭晃腦地擺起龍門陣來：「能夠平定傾覆的人，一定懂得人道是崇尚謙卑的。大丈夫能屈能伸，只有保存自己，才能消滅敵人。如今之計，大王您只好派人給吳王送去優厚的禮物，卑躬屈膝，乞求原諒。如果他不答應，您就親自去侍奉他，把自身也抵押給吳國。」

句踐抱著頭想半天，覺得眼下也只有這個辦法，於是派文種帶著金銀財寶去求和。

文種來到吳軍營中，跪地膝行至吳王面前，使勁叩頭說：「亡國之臣句踐讓下臣來請求大王：越國本來就是給吳國納貢的屬國，大王用鞭子驅使就可以了，根本不值得屈尊親自前來征討。句踐請求向吳國稱臣，並送上一個嫡生女兒，拿著掃把侍奉您，幫您掃地鋪床；再送上一個嫡生兒子，捧著盤子伺候您，幫您端菜洗碗。春秋兩季的貢品，一定按照諸侯向天子進貢的標準，毫不懈怠。大王您聖明聞達於天下，慈悲為懷，存留越國的宗廟，一定能讓四方的諸侯對您俯首貼耳，臣服在威名之下。」

夫差一聽這話，十分受用。是啊！寡人的聖明聞達於天下，是個大大的好人來著，多一個死心塌地的小弟，對我的稱霸事業不也是件好事兒？

正要答應，伍子胥衝上來反對說：「大王，你千萬不能答應越國的求和。古語有云：『樹德莫如滋，去疾莫如盡。』吳國和越國，三江（吳淞江、錢塘江、浦陽江）環之，土地相連，世世代代都是仇敵。有吳就不能有越，有越就不能有吳，這是不可改變的事實。如今上天把越國賞賜給吳國，這麼大的好處，不要太可惜了。更何況越王句踐為人陰險，能忍辱負重，又喜結交各方面的好漢，是個極其危險的人物，要是輕易放了，今後他發展壯大了，咱們悔之晚矣。」

伍子胥還真能掰，一大段說個不停，其實只要十四個字就能說明白了——放虎歸山終為患，打蛇不死隨棍上。

文種回來通報情況，句踐一拍桌子，怒道：「好你個伍子胥！寡人什麼時候招惹你了？竟非要置寡人於死地不可！哼！我句踐雖敗，也是個鐵骨錚錚的漢子，吳國人不答應就算了，寡人大不了殺掉妻子兒女，一把火燒光所有的金銀財寶，帶著五千甲兵和吳國人拚個魚死網破，就算是死，也不給他們留半個人，半毛錢！」

文種忙勸：「大王，您千萬不要意氣用事。如今雖然有個伍子胥對咱們求和百般阻撓，但事情並非完全沒有轉機……」

「哦！大夫有何高見，快快道來！寡人現在啥都聽你的！」句踐又擺出了深情無比的眼神。

文種尷尬地咳嗽兩聲，避過火辣辣的視線，低頭道：「我聽說吳國的太宰伯嚭貪財好色，嫉賢妒能，明著跟伍子胥稱兄道弟，暗地裡卻對他在吳國的崇高地位十分眼熱。我們可以拿這傢伙做突破口，用錢財和美女誘惑，讓他去跟伍子胥唱對台戲，說不定能收意想不到的好結果。」

句踐一拍頭，叫道：「對呀！我怎麼就忘了這個人呢？」說著翻出了越國派到吳國的間諜所編制的《吳國重要人物檔案》，大聲念道：「伯嚭，楚國人，名門之後，因老爸得罪楚王而遭滅門，走投無路之下逃到吳國，靠著伍子胥的引薦投靠吳王闔閭，後因在伐楚之戰中立有大功，逐步提升至太宰要職。此人善於誇誇其談，賣弄自己的知識見聞，靠著這一點青雲直上，用阿諛奉承討得吳王夫差的歡心，能很多重大問題上左右夫差的決策。不過，此人雖然博聞強記熟悉歷史，卻缺乏戰略眼光，沒有遠見，又貪財好色，尤其喜歡越國美女……」

念句踐到這裡，高興地跳了起來，大笑道：「什麼？他最喜歡越國美女！太好了！哈哈哈！夫差、伍子胥，原來你們身邊擁有這麼一顆絕妙的不定時炸彈啊！真是天助我也。文大夫，你現在馬上從我的後宮精選八個絕色美女，除了我夫人，其他人隨便你挑。再從我的小金庫裡取白璧二十雙、黃金萬兩，全部拿去送給伯嚭。」

7 糖衣炮彈

文種又換了臉色，跪下來陪笑道：「如果大人您肯幫忙，今後越國的貢獻，未入王宮，先入您的府第，要什麼隨便挑！」千說萬說，還是最後這句話最動聽。

文種再次來到吳國，偷偷找到太宰伯嚭，獻上美女寶器，跪在地上拍馬屁說：「寡君句踐年幼無知，不懂事，以致得罪了大國。現在他已悔過自新，願舉國請為吳臣，但是貴國的伍相國對我們成見太深，多加阻撓。寡君聽說太宰大人您以巍巍功德，外為吳之干城，內作王之心腹，特派小人前來，求大人您為我們美言幾句。這裡有小小意思，不成敬意，還請笑納。」

堂下金光閃閃的珠玉寶器堆積如山，照得伯嚭眼睛發花，腦袋發暈；八個風情萬種、媚眼橫飛的越國美女，迷得伯嚭心旌動搖，口水橫流。一時間，他呆了，只張著嘴巴，說不出話來。

文種心中暗喜，嘿嘿！糖衣炮彈的威力，果然不同凡響。

想不到伯嚭呆了半晌，突然間臉色一變，正義凜然地道：「這可不行！本太宰可是個清官來著，怎麼能厚顏無恥、貪污受賄呢？再說，伍子胥是我的好兄弟，我可不能拆他的台！」

這小子明明已經心動了，偏偏還要拿架子裝清高，正宗的虛僞小人！

當然，文種心裡這麼想，嘴巴上卻不能這麼說。他微微一笑，又道：「不對不對，話不能這麼講。越國的東西就是吳國的，吳國的東西就是大人您的，大人您拿自己家的東西，怎麼能算貪污受賄呢？至於伍子胥，您拿他當好兄弟，他可未必這樣想。如果越國被滅，那功勞都是他的，跟太宰您半點兒關係都沒有。可如果您保住了越國，讓越國盡心盡力地爲吳國效力，存越的功勞就都是大人您的了。如此，您對我們越國，就有讓死人復活、讓白骨重新長肉一樣的大恩大德。從今往後，太宰您就是越國的再生父母，越人就算忘了自己的老爸，也不敢忘記大人您的恩賜！」

伯嚭還要裝模作樣：「你說的這些都是廢話！如果越國被滅，所有的東西都是我們吳國的，誰還在乎你們這麼一點兒小玩意？」

文種明白了，原來伯嚭根本不稀罕大恩大德這種虛無縹緲的東西。好！那我也只有出絕招了。

就見他猛然站起來，拂袖道：「哼！越兵雖敗，然保會稽者，仍有甲兵五千，堪當一戰！我們大王說了，如果你們吳國人不答應求和，就和你們拚死一戰，戰而不捷，則盡毀庫藏之積，來個玉石俱焚，讓誰都得不了好處。」

伯嚭慌了，忙道：「有話好說，有話好說，我也沒說不幫你們嘛！」

文種見這招以進爲退奏效，忙又換了臉色，跪下來陪笑道：「我就說嘛，太宰您是個大大的好人，絕對不會見死不救的。您想想，滅掉越國，越國的金銀財寶只會進入吳國的國庫，能到太宰您腰包的，撐死了也不過一、二成。可如果大人您肯幫忙，今後越國的貢獻，未入王宮，先入您的府第，要什麼隨便挑！」

千說萬說，還是最後這句話最動聽。伯嚭聞言是心花怒放，一邊呑口水一邊問：「此話當眞？」

「當然！咱們老大說了，只要大人您肯幫忙，越國的美女寶器，自當如長江之水，源源不絕而來。」

伯嚭連連點頭：「好！好！好！你們老大眞是識相，有前途，有前途！」

文種又將那八個越國美女拉到伯嚭眼前，讓他近距離觀賞，口中介紹道：「這八個美女，是我們老大在後宮中精心爲大人挑選的，您看看，怎麼樣？還算滿意嗎？如果您放我們老大一條生路，他回到越國之後，還會在民間竭力搜求，挑選更美的女子進獻。」

伯嚭流著口水，一臉豬哥樣地笑著說道：「不錯！我一向認爲，越國的美女是天下間最鐘靈毓秀溫柔多情的……嘿嘿嘿！你們老大果然會做人，眞是深得我心，深得我心呀！」

文種強捺住內心的噁心：「哪裡哪裡，這天下間，也只有配給太宰您這樣的風流才子，才不委屈了我們越國楚楚動人的美女喲！那幫忙求情的事……」

「好說好說。」

文種大喜，緊緊握住伯嚭的手，大聲說道：「好！那就這樣，小人告辭了，合作愉快！」

「合作愉快！」

離開吳營，走出數里，文種終於再也忍不住，蹲在路邊狂吐起來。可悲呀可悲，我從來沒有做過如此丟臉的事兒，天呀！噁心死我了！

話說伯嚭接受了好處，自然就要爲越國人說話。他找到夫差，進言道：「大王，我看您還是答應了越國的請降吧！人家挺有誠意的。」

夫差雖然信任伯嚭，但此時他的態度還是偏向伍子胥那一邊的，於是怒道：「不行！越與寡人有不共戴天之仇，絕對不能輕饒！」

伯嚭早就預料到了夫差的反應，忙將自己準備好的一套說辭講了出來：「大王，您不記得從前孫武的話了嗎？『兵，兇器，可暫用而不可久也。』越國雖然對大王有殺父之仇，但是罪魁禍首靈姑浮已授首，您的仇也算是報了。再說，句踐已經答應將其所有寶器珍玩全部獻作賠罪，又肯讓自己的女兒給大王做女奴，大夫的女兒給吳國的大夫做女奴，士的女兒給吳國的士人做女奴，還肯率領本國的軍隊，隨從我國的軍隊，聽憑大王的調遣。他們要求的，只是存留宗廟而已。從前楚莊王攻滅陳國、鄭國，也存留了他們的宗廟，從而得以諸侯歸心，成爲天下霸主。大王何不效法呢？赦越之罪，則既可得越，又可揚霸主之名，此一舉兩得之事，對大王、對吳國，都是大大的有利呀！」

「反過來，如果咱們非要置越於死地，他們還有五千甲兵，困獸猶鬥，背城一戰，我方傷敵一萬，也要自損三千。還有，萬一句踐來個狗急跳牆，燒掉自己的宗廟，殺死自己的妻子，將越國所有金銀財寶全部毀掉，咱們可就得不償失了！所以呀！與其殺了這些越國人，還不如得到這個國家的臣服。哪個更爲有利些？還請您多加考慮。」

巧舌如簧，說起話來一套一套的，伯嚭口才還眞不錯，算是肚裡有些墨水的小人。

伍子胥果然跳出來反對：「不可！千萬不可！今天不滅亡越國，大王必定後悔莫及。句踐是個可怕的對手，他手下的文種、范蠡也都是賢能的大臣。如果句踐能夠返回越國，必將作亂。」

伯嚭反駁道：「伍子胥目光短淺，只明白一時的計策，而不精通安國的道理。接受越國的投降，才是眞正的『霸道』。大王，您切不要被小人的意見蒙蔽。」

什麼？居然說我是小人！你才是小人呢！你全家都是小人！伍子胥火了，好你個伯嚭，昨天還跟我站在同一戰線，今天態度立馬就變了，沒得說，肯定收了越國人的好處。枉我還把你一直當兄弟，氣死我了！氣死我了！

兩人爭論不休，一直沒說話的夫差腦袋都快被搞昏了，終於站起身來看了看二人，拍板說道：「別吵了，你們兩位都是寡人的肱股大臣，誰也不是小人。寡人想清楚了，決定接受越國的投降，條件是句踐必須帶著他老婆來吳國爲奴，聽話我就饒他一命，不聽話寡人就滅了他。怎麼樣？這個計策不錯吧？哈哈哈！寡人果然有才，我太佩服我自己了！」

伯嚭連忙拍馬屁：「大王眞是亙古未有的聖君呀！越人強悍好鬥，難於驅使，咱們滅了他們的國家，未必能震得住。將句踐扣留在吳國，攥住他的小命，他雖然活著，也就等於是死了。反之，如果殺死他，他的百姓蠻性難服，將會弄得我們永無寧日。

那麼，他雖然死了，也等於活著。大王不殺句踐，正是殺了句踐；伍相國要殺了句踐，才是保護了句踐。大王的聖明，就在這裡！」

夫差顯然對馬屁十分受用，聞言大笑道：「沒錯！我夫差不但是吳國的君王，還將是四海的霸主！一個四海霸主，既有軍威，也有仁義。我要讓天下人知道我能嚴能寬，能收能放，能擒能縱，能暴能忍。不殺句踐，行了仁義，卻滅了越國。我意已決，伍相國無須再言。傳寡人的命令，放句踐還越，做一些必要的國事交代，然後帶著老婆來吳國報到。寡人與伍相國將率大軍先行還吳，伯嚭太宰，你就領著一萬兵馬在此監視，催促行程，並爲寡人接收越國的財貨和寶器。」

伯嚭見得計，大喜，忙告辭出去找文種再要好處。伍子胥則恨恨地走出大營，跟身邊的另一位大夫王孫雒抱怨說：「吾悔不聽被離之言，而與此小人稱兄道弟。越十年生聚，再加以十年教訓，二十年之後，吳宮爲沼矣！」

伍子胥雖是個英雄，卻不是個當官的料。你就算有怨言，也該埋藏心中，暗做謀劃，怎可在此大庭廣眾之下隨口而出，詆毀領導的決策？難怪以後夫差越來越看他不順眼。咱們的古人不是說了嘛，皎皎者易汙。你穿一襲白衣、一頭白髮，行走江湖，怎麼可能不沾上泥點子呢？

伍子胥在人際關係方面永遠是個弱智，此生註定只能當一個寂寞的英雄。

會稽山上的句踐得知了文種帶來的「好消息」，心中五味雜陳，也不知是該高興好，還是該傷心好。

「文大夫，夫差那傢伙眞的要我夫婦去吳國爲奴，才肯放過我們越國？」

「是的，這已經是咱們能爭取到的最好結果了。還是那句話，大丈夫能屈能伸，只要保住性命，終會有翻身的那一天。」

句踐忍不住垂淚：「說得輕巧，寡人千里爲囚，命懸吳人之手，能不能生還都是未知之數，想要翻身，談何容易！」

文種又安慰說：「從前商湯被囚禁在夏台，周文王被圍困在羑里，晉國重耳逃到翟，齊國小白逃到莒，可最終都稱王，且稱霸天下。由此觀之，我們今日的處境，何嘗不可能成爲福分？」

「遠的咱就的不說了，近的就說這楚昭王。當初他逃離郢都的時候，惶惶然如喪家之犬，最後也靠著上下團結得以重整河山，如今又是一條好漢。」

文種的話雖然是寬慰之語，倒也頗有幾分道理。艱苦的環境的確可以鍛鍊出一個眞正的霸主。從這點上來看，句踐去吳國接受吃苦教育，對他未嘗不是一件好事兒。

第9章

陰謀家句踐

句踐說著，將手伸進馬桶，撈出一塊黑不溜秋的勞什子，放在眼前端詳了一下，突然閉上眼睛、伸出舌頭，往上一舔……眾人全看得目瞪口呆。

1 送別

禹廟內的鐘聲逐漸停止，廟門大開，走出成隊的吳國武士，警備森嚴。而後，越國君臣也滿臉淚痕地走了出來。江邊跪滿了送行的百姓，四野蕭然，一片荒蕪。

西元前四九四年五月的一個黎明，越國會稽郊外。

烏雲蓋野，一線陽光照著江裡停泊的吳國戰艦船隻。遠處不時有殺聲、哭聲傳來。火光燒紅了半邊天，佔領軍正在放火，把來不及掠去的稻子燒毀在田裡。

錢塘江畔，越王句踐正在大禹廟裡辭別列祖列宗。沉重的鐘聲、磬聲一陣陣響著。吳國甲士守在門前，負責等句踐一完事，直接押走。

廟內莊嚴肅穆，沉重的氣氛壓得越國君臣喘不過氣來，廟外卻是熱鬧非常，成群結隊的吳國軍士正興高采烈地搬運著寶器。

他們是勝利者，也是征服者，喜悅，理所當然。

固陵碼頭上，泊著幾十艘大大小小的船隻，滿載了從越國各地搜刮來的金銀珠寶。另有幾艘大船裝著獻給吳王夫差和太宰伯嚭的三百名美女，她們有的正在失神，有的正在垂淚，就要離開故鄉和親人了，心如刀絞。

這麼多美女聚在一起，看在吳國人眼中，那是賞心悅目。在越國人眼裡，卻是最淒涼的一種美麗。

禹廟內的鐘聲逐漸停止，廟門大開，走出成隊的吳國武士，警備森嚴。而後，越國的君臣也滿臉淚痕地走了出來。句踐環視四周，但見江邊跪滿了前來送行的百姓，回望故國，四野蕭然，一片荒蕪。我的祖國啊！究竟是犯了什麼天大的過錯，要遭受如此深重的苦難？

他忍不住長歎一聲，唱道：「告天地神明可窺，告宗廟精靈可推，念句踐包羞含愧，知甚日得回歸？知甚日得回歸？」

文種走上前來，舉杯帶頭祝酒，唱道：「大王德壽，無疆無極，乾坤受靈，神祇輔翼。我王厚之，祉佑在側。德銷百殃，利受其福。去彼吳廷，來歸越國。觴酒既升，請稱萬歲。」

句踐仰天歎息，舉杯垂涕，百感交集，默無所言。百姓和大臣們見狀，陪著哭起來，哀聲遍野，好不淒涼。

在吳國人面前哭哭啼啼的，成何體統？范蠡見氣氛不對，決定來點激昂的，不過他五音不全，唱歌難聽，還是開說比較好，當即轉向群臣，舉杯高聲道：「吾聞『主憂臣辱，主辱臣死』。今主上有去國之憂，臣吳之辱，以吾浙東之士，豈無一二豪傑，與主上分憂者乎？」

大家聽到這兒，趕忙收住哭聲，齊聲道：「誰非臣子？唯王所命！」聲震四野，驚走滿天烏雲。大風吹動江水，捲起一片春潮，遠處的山邊兒晚霞綻放，景色好生壯麗。句踐一下子笑起來，笑得無比燦爛。他感覺自己死灰般的心重新復活了，而且充滿了力量。這世上，從此再也沒有任何事情能讓他再害怕，即使前方有無盡的苦難，甚至死亡在等待。

「你們都是越國的好臣子，好百姓！只要有你們，越國就有希望，寡人也就可以放心地去吳國了。時間不早，統統都回去吧！寡人也該上船了。」說完，他轉身緊緊握住范蠡和文種的手，叮嚀道：「范大夫、文大夫，寡人的江山社稷就託付給你們二位了。」

范蠡道：「大王，讓我跟你一起去吳國吧！此去兇險萬分，您身邊需要一個幫忙出主意的人。」

句踐感動地說：「不行，寡人怎麼能讓你跟我一起去受苦呢？你還是留下來，替我看守國家吧！」

范蠡道：「看守國家的事，文大夫一人足矣。在國境以內，治理百姓的事，我比不上文種。在國境以外，對付敵國，需要當機立斷的事，文種比不上我。」

「范大夫，寡人悔恨當初沒有聽你的忠諫。你曾勸說堅守不攻，待機迎擊，寡人不聽，才有今天的慘敗。寡人如此對你，沒想到你還一片忠心……」

吳國士兵終於不耐煩了：「你們演完了沒呀？快上船吧！這天都要黑了！」

句踐心中暗罵，寡人演得正起勁呢，你們打什麼岔？可惡！人家的感情才剛醞釀出來！口中卻道：「來啦！來啦！急什麼？還怕我跑了不成？文大夫，越國的事情就全倚仗你了。分別在即，還有什麼話要交代寡人嗎？」

文種一把鼻涕一把眼淚地說：「范蠡辦事，我放心，有他陪著大王，老臣沒啥好交代的。只是有一個字，大王您一定要切記，切記呀！」

「哪個字如此重要？快快道來。」

「忍！」

句踐重重地點了點頭，轉身和夫人及范蠡等走向船。帆檣逐次升起，大船在越國臣民的哭泣聲中離岸而去。

漸行漸遠，江岸看不見了，招手的人群也慢慢地消失了。句踐等人默默地站在船頭，故國不堪回首。夜色漸深，波浪拍打著船舷，江面上靜悄悄的，只有幾隻無聊的水鳥，輕輕地掠過水面，啄起江中的魚蝦，又歡快地振翅而去。

越王夫人無力地靠在船舷上，觸景生情，哭著唱起「越劇」來：

仰飛鳥兮烏鳶，凌玄虛號翩翩。

集洲渚兮優恣，啄蝦矯翮兮雲間，任厥兮往還。

妾無罪兮負地，有何辜兮譴天？

獨兮西往，孰知返兮何年？

心惙惙兮若割，淚泫泫兮雙懸。

一首還不夠，接著再唱：

彼飛鳥兮鳶烏，已回翔兮翕蘇。

心在專兮素蝦，何居食兮江湖？

徊復翔兮遊，去復返兮於乎！

始事君兮去家，終我命兮君都。

終來遇兮何幸，離我國兮去吳。

妻衣褐兮為婢，夫去冕兮為奴。

歲遙遙兮難極，冤悲痛兮心惻。
腸千結兮服膺，於乎哀兮忘食。
願我身兮如鳥，身翱翔兮矯翼。
去我國兮心搖，情憤惋兮誰識？
曲音既終，四野悄然，隨行的越人們都被這首情感濃烈、直入人心的歌曲感動得一場糊塗，一邊抹眼淚一邊舉起寫著「十分」的牌子。
不想此時，句踐卻搖了搖頭，負手笑道：「孤何憂？吾之六翮備矣。」
哼！哭個屁呀！寡人的翅已經長硬了，遲早會有高飛的一天。有啥好傷心的？來，大家把姿勢擺好，看著鏡頭，跟我一起笑——一、二、三……

2 那些囚徒的日子

吳王每次駕車出遊，句踐都必須牽著馬走在前面開路，任由旁邊的老百姓指指點點。他只好低頭，心裡暗暗安慰自己：沒啥大不了的，就當是在遛狗好了。

句踐等人一來到吳國，馬上被人帶去姑蘇台見夫差。

夫差滿臉傲慢地坐在高台之上，搖頭晃腦地聽著吳國小調兒，正眼都不看底下的句踐一下。沒有大王的吩咐，歌女們不敢停唱：「蘇台高峻，房廊隱隱，青蛾紅粉，打團成陣。千門花月笑相迎，香風滿路笙歌引……」

句踐強忍屈辱，拜伏在地請罪：「東海賤臣句踐，上愧皇天，下負后土，不自量力，辱王之士。大王仁慈，寬臣萬死之誅，示以再生之路，使臣執箕帚以侍大王，誠蒙厚恩，不勝仰感俯愧。臣句踐叩頭頓首。」

夫差揮去歌女，上下打量了一下句踐，問：「你就是句踐？」

「正是賤臣。」

「長得夠醜的！寡人越看你越像一隻鳥。」

「是是是！賤臣確實長得不好看。」

「哼！當日你害死我父王，可曾想到過今天？」

「臣罪該萬死，願大王憐之。」

聽到這兒，一旁的伍子胥又發飆了，目如流星，聲若雷霆，怒道：「臣聞飛鳥在青雲之上，尚欲挽弓而射之，況閒游於池沼，近集於殿廷乎？之前你躲在會稽山上，咱們治不了，今幸入我廚灶之中，一個宰夫就能煮了。如此送上門的美餐，大王千萬不可輕易放過！」

夫差卻說：「我聽說誅殺投降的人，將會禍及三代。寡人不是個玻璃，並非因為喜歡句踐而不殺他，是害怕上天追究罪過呀！」

伯嚭在旁幫腔道：「大王聖明！伍相國，你不要這麼生氣嘛，生氣就犯嗔戒了。句踐不過是死魚一條，能掀得起什麼風浪？你何必要把他說得天那樣高呢？」

伍子胥氣得面如土色，白髮衝冠，轉身朝伯嚭大聲喝道：「你這個小人，這裡還輪不到你插嘴！先主臨終的時候，囑託老臣，要將吳國放在永遠不敗之地。刃懸頭上，要知道危險；路走迷了，要知道回頭。奸佞的妄語不可信，誤國的計謀不可聽。話已說盡，老臣向大王告退！」說完，頭也不回地拂袖而去。

夫差咬牙道：「發什麼瘋？神經病！」

伯嚭奸笑一聲：「也難怪伍相國敢發這樣大的脾氣，他常對人說，大王從前能夠被立為太子，完全是他一個人的功勞。」

「是！是伍子胥的功勞，誰都知道，要你在此地囉唆什麼？」夫差覺得心裡有團烈火，快要將自己燒炸了。

伍子胥，是你幫我當上太子，但那又如何？難道你的話，我就不能更改嗎了？你是天神嗎？為什麼要時時刻刻像一片烏雲似地罩在我頭上，成天把先主掛在嘴邊？別忘了，現在寡人才是你真正的主子。專橫而昏聵的老東西啊！總有一天我要讓你知道，寡人才是吳國歷史上最偉大的王，全天下都將要像這個句踐一樣臣服在寡人腳下，包括你。

句踐跪在一旁偷偷地看著好戲，心裡樂得開了花兒一般，表面上卻不動聲色，靜待發落。夫差待心情稍稍平靜了些，這才揮手道：「句踐，既來之則安之，這樣吧！寡人讓王孫雒在這姑蘇山下，朝著先王墓的方向，給你修一個石室，你就待在那裡幫寡人養馬駕車，對著先王的英靈靜思己過。」

「是！」句踐叩首再拜，小心翼翼地膝行而退。

歌女們魚貫而出，又開始咿咿呀呀地唱起吳國小調來：「錦筵香霧氤氳，氤氳。華堂歌舞繽紛，繽紛。珠翠擁，暮雲屯，燈火亂，曉星昏。洞房深處醉橫陳，洞房深處醉橫陳……」

句踐於是在姑蘇山下的石室中住下來，給吳王夫差當了一名馬夫。不過，這個馬夫沒有孫悟空的「弼馬溫」來得滋潤，不但手底下一個小弟沒有，上頭還有個看守，成日裡對他們又打又罵。

唉！從前的越國之王，如今卻成了吳國最下等的奴隸。好衣服是沒得穿了，只能赤裸上身，圍個圍裙，算是遮羞。帽子也沒得戴了，只能紮個粗布頭巾充數，免得披頭散髮嚇到小朋友。君臣三人成日裡蓬頭垢面，叫花子一般，要不是伯嚭看在錢的面子上，偶爾給他們送點米鹽，句踐夫婦和范蠡就算不餓死，也得折騰掉半條命去。

身體上的苦楚倒也罷了，更讓句踐難以忍受的，是心靈上的屈辱。尊嚴，這個他往常最容易得到的東西，現在卻變成了可望而不可即的夢。

此時此刻，他不需要王的尊嚴，他只求得到作爲「人」的尊嚴。

但是，對不起，沒有。

那些日子，吳王每次駕車出遊，他都必須牽著馬走在前面開路，任由旁邊的老百姓指指點點：「這就是被咱們大王揍趴下的那個越王句踐了，瞧瞧！一副衰樣，生得就是當奴才的料。」

「是啊！長得跟個鳥一樣，他以爲他是鸚鵡啊！」

「我還聽說，句踐爲了活命，把老婆都送給大王睡了，嘻嘻……」

「真的嗎？怎麼那麼賤哪！」

「如果他不夠賤，又怎麼會叫『夠賤』呢？」

「哈哈哈哈……」

兀的不痛煞人也麼哥！兀的不恨煞人也麼哥！可是，句踐不回嘴，也不惱怒，只是低頭，自顧自地牽著馬，心裡暗暗安慰自己：沒啥大不了的，就當是在遛狗好了。

苦啊！這日子簡直就不是人過的，可句踐似乎是個天生的「忍者」，面對如此難以忍受的痛苦和屈辱，竟然捱了下來。夫婦兩人，男的每天剁切草料、餵養馬匹，女的每天擔水、除糞、灑掃，三年下來，臉上居然沒有一刻露出惱怒怨恨。

凡成大事者，皆能忍常人之所不能忍，從古到今，莫不如是。

當然，句踐也是人，只要是人，就會有脆弱的一面。雖然在人前總是裝出堅強認命的樣子，不讓監視自己的無數雙眼睛發現到真實心思，可無數個夜晚，午夜夢迴，他總要一個人面對冰冷的石牆，默默發狠：夫差，此仇不報非君子！我在吳國所受的這些屈辱，總有一天會讓你加倍償還，等著吧！

這段時間，最難能可貴的，是當著如此艱難的情狀，隨侍同來的范蠡始終不離不棄，不肯變節。

有一次，吳王夫差在宮中召見句踐君臣。句踐跪在前面，范蠡隨後站著。夫差對范蠡說：「寡人聽說『好女不嫁窮郎，賢士不仕亡國』。今句踐無道，國之將亡，你和你的主子都淪爲奴僕，關在一個小小的石室裡，難道不覺得恥辱？不如這樣吧！只要你肯改過自新，放棄舊主子，以後跟著我混，寡人包你吃香的喝辣的，家中有屋又有田，生活樂無邊。」

句踐聽到這兒，忍不住涕淚交加，伏地痛哭。好你個夫差，不但侵略我的國家、搶掠我的子民、折磨我的身心、禁錮我的自由，現在竟然還打起我的愛臣的主意來，你好狠！

夫差得意地笑了。嘿嘿！這世上沒有人能抵抗金錢與權力的誘惑。伍子胥不是說你句踐能忍辱負重嗎？我現在倒要看看，當你最心愛的臣子投到寡人的懷抱裡，你是否還能保住那點可憐的自尊？句踐，寡人就是要讓你失去所有的一切，讓你生不如死，這比一刀殺了你要有趣得多。

想不到范蠡偏偏不吃這一套，回說：「臣也聽說『亡國之臣，不敢語政；敗軍之將，不敢言勇』。臣在越不忠不信，不能輔越王爲善，致得罪於大王。幸大王洪恩浩蕩，使我君臣得以保住性命，心中已經很感激了，哪裡還敢奢望富貴？」

「你可要想清楚了！曾經有一份富貴擺在你的面前，你沒有珍惜，以後可不要追悔莫及。」

「臣想得很清楚。」

范蠡確實想得很清楚，夫差不是真的欣賞他，只是想徹底打擊句踐。一旦目的達到，就會像對待一隻破鞋一樣將他丟在一旁。范蠡是多精明的人，這種明得利暗吃虧的事情，絕對不會幹。

「那你就回你的破石室去吧！敬酒不吃吃罰酒的東西！」夫差惱怒地站起身來，拂袖而去。

句踐感動地握住范蠡的手，又露出了他那標誌性的深情眼神：「范大夫對寡人之情何其厚矣！寡人保證，復國之日，越國當與君共用之，如果非要對這個保證加一個期限，我希望是，一萬年！」

范蠡的雞皮疙瘩掉了一地。

3 放，不放？

范蠡屈指一算，心中已然轉過無數個公式，猛地面色一變，道：「不好！今天正應了『天網四張，萬物盡傷』的卦象。大王您別高興得太早，免得樂極生悲。」

這樣又過了幾個月，一日，夫差閑極無聊，一大早便帶著寵臣伯嚭去姑蘇台遊玩。正是江南初春，煙籠春水，草木欣榮。二人登台遠眺，遙遙望見碧波萬頃的太湖，在纖雲四捲、銀河漸隱的時光中悄然甦醒。另外一邊，姑蘇城內的早市剛剛開張，熙熙攘攘，人群湧動，一派繁華昌盛景象。

夫差志得意滿，興致勃發，忍不住高聲吟道：「長刀大弓，坐擁江東，車如流水馬如龍，看江山在望中……」

伯嚭忙大拍馬屁地迎合道：「正是正是！大王虎踞三吳，鷹揚一世，天子之下第一，諸侯之上無雙。」

夫差對馬屁很是受用，正在陶醉，眼波一轉，忽然看到和周圍景色極不協調的一幕，眉頭不由一皺。

姑蘇台下，破爛的馬廄邊，句踐君臣三人衣衫破爛、蓬頭垢面、滿臉憔悴地坐在馬糞邊，手裡捧著幾個窩窩頭，菜裡沒有一滴油。

他不禁搖頭歎道：「瞧他們那副窮酸的樣子！看來那越王不過是一個窮鄉僻壤的蠻主，沒有什麼雄心大志。范蠡不過是一個沒見過世面的傻小子，連寡人給他富貴都不敢要。這樣兩個沒用的傢伙，又能對我大吳造成什麼威脅呢？」

伯嚭見機會到了，趕緊煽動說：「沒錯！您看看，好可憐的一對君臣哪！大王，您一向是聖人心腸，不如就此放了他們。句踐有感於大王的厚恩，一定會重重地報答於您。」

夫差點頭道：「太宰言之有理，那就選個好日子放他回去吧！」

看來，夫差還真不是個當國君的料，做起事來一點譜都沒有，完全憑個人感情行事。先前恨句踐入骨，對他百般凌辱，後來發現對方很可憐，心腸一軟，又起了婦人之仁了。

喜怒形之於色，膽小而無城府，氣量狹如雞腸，敏感而又善變，這樣的性格，倒眞似一個大媽。

霸主，可不是這麼當的。

伯嚭派人把好消息偷偷地告訴了句踐。句踐欣喜若狂，立刻找來范蠡分享自己的喜悅：「范大夫，寡人的心情好複雜啊！就像有頭小鹿兒在胸脯裡亂撞一般，既是高興，又是擔憂，高興的是寡人這次或許就可以脫離苦海了，擔憂的是吳王臨時改變主意，讓我空歡喜一場。」

范蠡笑道：「大王不要著急，且讓爲臣算上一卦，看看是吉是凶。」

別忘了，他可是當世活神仙計然的得意弟子，算命卜卦乃拿手好戲。屈指一算，心中已然轉過無數個公式，猛地面色一變：「不好！今天是戊寅囚日，卯時得信，正應了天網課中『天網四張，萬物盡傷』的卦象。大王，您別高興得太早，免得樂極生悲。」

句踐頹然坐倒在地，面如土色，仰天無語。

其實，歷史上號稱活神仙的這些傢伙，之所以能料事如神，並不是眞藉著幾塊破龜甲破解了命運的謎團。他們的本事，不在算天，而是算人。

厲害的相士，都是洞察人性的高手，只要把握住一個人的人性，就能把握住這個人行事的方法。

夫差是個沒有主心骨的人，伍子胥的性格則是「一條道走到黑」，這兩個人湊在一起，註定了句踐想離開吳國，必然是好事多磨。

一句話：不使點絕招，想走？沒那麼容易！

果然，伍子胥一聽說夫差有赦免句踐的想法，連忙衝進宮裡提反對意見：「從前，夏桀囚禁了商湯而不誅，商紂囚禁了文王而不殺，最後反爲對方所滅。大王，您如若真放了句踐，只怕會重蹈桀紂的覆轍。」

夫差果然猶豫了，伍子胥說得不是完全沒有道理呀！雖說放了句踐似乎沒啥大不了，但小心一點總是沒錯。

伯嚭一見好事就要落空，連忙嗆聲道：「大王，伍子胥居然把你比成桀紂！他安的什麼心？」

伍子胥氣壞了，你這個小人，道道地地的小人，我頂你個肺！

還沒完呢！就聽伯嚭又道：「別聽伍子胥胡說，大王您怎麼能是桀紂呢？從前，齊桓公將燕莊公送他的五十里土地還給燕國，獲得了仁義的美名。泓水一役，宋襄公等楚軍渡河完畢列好陣勢才進攻，也因此被後人稱道。齊桓公功成名就，宋襄公雖敗而仁德長存。大王如果能赦免句踐，您的功德必將高於五霸。」

夫差更加猶豫了，伯嚭說得也很有道理啊！雖說小心一點沒錯，但「仁義」的美名更有誘惑力。寡人可比齊桓、宋襄強多了，論「仁義」，當然也不能輸給他們。

伍子胥怒道：「仁義又不能當飯吃！槍桿子裡出政權，沒有槍桿子，光講仁義有個屁用？」

兩人爭論不休，夫差抱著頭糾結起來。寡人究竟該聽誰的呀？苦惱死我了！

不知道是在放與不放句踐的問題上過多地耗費了那點可憐的智商，還是因爲暮樂朝歡酒色過度掏空了那羸弱的小身板兒，夫差病了，而且病得很重，趴在床上三個月，不見好轉。

關於如何發落句踐的問題，自然被無限期地拖了下去。

4 史上最噁心的大絕招

句踐說著，將手伸進馬桶，撈出一塊黑不溜秋的勞什子，放在眼前端詳了一下，突然閉上眼睛、伸出舌頭，往上一舔……眾人全看得目瞪口呆。

形勢變得越發微妙，句踐的心情也很微妙。

他先想，好哇夫差，你也有今天，叫你小子欺負我，這就是報應！轉念又想，他臥病在床，也不知道啥時候才能好，要是歹命癱瘓個十年廿載，難道我也要在吳國陪著一直受苦下去？

還有，萬一他短命病死了，換個聰明點的國君，聽伍子胥的話殺了我，永除後患，那我可就眞的沒戲唱啦！

他立刻召來自己現在最信任也只能最信任的范蠡，商量對策。

「范大夫，你不是會算命嗎？幫我算算，吳王的病會不會好？這對寡人很重要。」

范蠡裝神弄鬼地搗鼓一番，說：「算好啦！吳王死不了，而且在四月二十六日那天就會痊癒。」

「不會吧？連日子都給算出來了，范大夫眞是個活神仙哪！佩服佩服！」

「嘿嘿！小意思。」范蠡得意地笑起來。

其實，哪裡眞的能預測未來？只不過他的老師計然天文地理理工農醫無所不通，自然也將高超的醫術傳給了他。中醫有所謂「望聞問切」，只一看夫差的面色，就能將病情猜到七八分。

句踐自言自語說道：「夫差既然不會死，那我回國的事就有希望了，只是不知這傢伙到時候會不會認帳。三年了，寡人在吳國已經待了三年了，再待下去，眞的要發瘋了！」

范蠡腦中突然閃過了一個瘋狂的想法，他自己都差點被這個想法給嚇壞了——該不該跟句踐說呢？有點說不出口啊！

句踐察言觀色，發現范蠡欲言又止，忙問：「范大夫莫非有好對策？」

「大王，臣以爲，以爲……這倒是個機會。」

「都什麼時候了，你幹什麼還支支吾吾的？有啥話就快說吧！」

范蠡一咬牙，道：「我這兒有個絕招，就是噁心了點兒，怕大王接受不了。」

「事情到了這個地步，寡人還怕什麼噁心？只要能回國，讓我吃屎都行。你有啥辦法，不管行或不行，先說出來聽聽吧！」

「大王，您說對了，臣的絕招就是要您吃屎！」

「不……不是吧！」

「正是！如今吳王久病不癒，大王您正可趁此機會前去探問吳王病情，要求拿他的糞便來嚐一下，同時看看顏色，然後跪倒在地表示祝賀，說他不會死，二十六日那天必會痊癒。如此一來，吳王一定會被您的行爲打動，等那天病眞的好了，咱們回國的事兒……嘿嘿！也就八九不離十了。」

句踐傻了，你居然眞的要寡人去吃屎！

「范大夫，你這招果然夠絕，只是我句踐好歹也是一國之君，怎麼能去吃旁人的屎呢？再說夫差那傢伙面目可憎，他的屎一定很臭。」

范蠡答：「夫欲成大事者，不矜細行。吳王行事像個娘們兒，而無半點丈夫之決，一下子說要放了大王您，一下子又說不放，不使點絕招，怎能博取他的同情，又怎能順利回國？」

句踐沒有說話，抱著頭，內心掙扎了半天，終於決意道：「好！就按范大夫你說的辦!媽的，老子拚了!」

第二天，按照計劃，伯嚭帶著句踐去給夫差探病。

夫差病懨懨地看了看跪在床邊的句踐，有氣無力地說：「句踐兄弟，是你嗎？寡人如此對你，你還肯來探問我的病情，良心真是大大的好哇!」

句踐心道，我的良心何止是大大的好？待會兒你就知道了。

伯嚭在一旁道：「是啊!句踐聽說大王您龍體失調，內心十分憂慮，特意乞求微臣帶他來看您。」

句踐叩首道：「大王，微臣讀過幾年醫書，只要讓我看一看病人糞便的顏色，就能略知他病情的好壞。」

夫差喜道：「哦!你竟有這等本事？恰好寡人剛剛出恭完，你去看看，寡人還有沒有救？」

「謹遵王命。」

「辛苦你了。」

伯嚭忙派人將夫差的馬桶端出戶外，句踐再拜，跟出房來，揭開桶蓋，裝模作樣地觀察起來。

伯嚭捏著鼻子，尖聲尖氣地說：「看好了沒？不要讓大王等太久喲！」

句踐擺手道：「再等會兒……」說著將手伸進馬桶，撈出一塊黑不溜秋的勞什子，放在眼前端詳了一下，突然閉上眼睛、伸出舌頭，往上一舔……

眾人看得目瞪口呆，幾個宮女甚至轉過頭去，噁心欲吐。

伯嚭強忍住腹中的翻江倒海，掩鼻道：「味道如何？」

句踐咂摸了兩下嘴巴，說：「苦中帶酸，有點餿味，雖然不可口，倒也沒有我想像得那麼難吃。你們要不要也嚐嚐？」

「哇！」終於有人忍受不住，蹲在地上狂吐，很快被拉走。

本來，句踐很有希望和伍子胥爭奪「春秋最受歡迎復仇人物獎」，可惜這一番噁心至極的表現讓他的英雄形象轟然崩塌，無論日後再怎麼忍辱負重、勵精圖治、建功立業，都無法遮掩曾經吃過屎的人生超級污點。

夫差在房內聽到外面一片喧嘩，正在奇怪，伯嚭和句踐等人已走了進來。句踐面有喜色，其他人的臉色卻有點古怪。

夫差問：「如何？」

句踐再叩首，滿臉歡喜地說：「恭喜大王！賀喜大王！貴恙將在四月二十六日那天痊癒，到時您將精壯如初，又是一尾活龍了。」

「何以如此肯定？」

「下臣在越國的時候，曾專門跟聞嚐糞便的內行學過手藝，得知糞便當與穀物味道一致。但凡糞便的味道與季節氣味相逆的，病人必會死去，與季節氣味一致的，病人將會康復。剛才，我私下嚐了一下大王您的糞便……」

「什麼？」夫差有點不相信自己的耳朵。

伯嚭等人在後不住點頭。

句踐也用力點頭，接著說：「是！微臣剛才確實嚐了一下大王您的糞便，發現貴便味苦且酸，正應當下春夏之氣，所以可以肯定，您一定沒事。不過，大王，您可要記得按時吃藥、按時出恭啊！」

夫差大悅道：「好一個仁義的句踐，寡人徹底被你感動啦！你們倒是說說看，但凡天下間當臣子的，有沒有人肯爲了探知國君的健康而嚐他的糞便？」

眾人無語。有人心中暗想，這哪裡是仁義？簡直就是噁心、變態！句踐，算你狠！

夫差轉身問伯嚭：「你能做到嗎？」

伯嚭搖頭說：「臣雖然敬愛大王到骨子裡，但這樣的事，臣自問做不到。」

夫差歎道：「不止你，就算是寡人的親兒子，也未必肯爲寡人做這種事呀！」

句踐叩首說道：「大王對微臣有再造之恩，簡直比我親爹還親，此等小事，何足掛齒？」

夫差動了真感情，忍不住垂淚道：「啥也別說了，眼淚嘩嘩的。小踐踐，寡人從前誤會你不是個好人，對你一點兒都不好。可是通過這件事，寡人重新認識了你，你是一個可以相交的正人君子。從今以後，你就是寡人的好朋友、好兄弟，以前所有的不愉快，大家都忘了，好嗎？」

句踐緊緊握住夫差的雙手，露出了他那標誌性的深情眼神：「不！大王，以前的事，都是我不對，我不該聽信越國那些小人的讒言而傷害您。您這麼對我，完全沒有錯，一切都是我咎由自取。從今以後，我一定要告誡越國的臣民們：吳王是咱們的好君主、好老大。吳國的事兒，就是越國的事。越國一定要臣服大王，聽憑您的差遣，爲您的霸業效犬馬之勞。」

夫差伸出雙臂，抱住句踐，動容道：「好！太好了！從今天開始，你不要再去養馬了，就在寡人的賓館裡住下來，等寡人病好了，立刻送你回越國。從今以後，咱們兩人就是兄弟，咱們吳越兩國，就是兄弟之邦。兄弟同心，永結萬世之好！」

兩個大男人，居然就這樣當著大傢伙兒的面親熱地說起肉麻話來，誰能想到，就在幾個月前，吳王夫差還在挖空心思地想著折磨句踐的新招呢！

這場戲演得真是好極了，「春秋最佳男演員獎」非句踐莫屬。不過，爲了演好這場重頭戲，他也付出了相當的代價。今後的歲月裡，口臭將伴隨他一輩子，無論怎麼刷牙、吃口香糖，都一點兒用也沒有。

這張臭嘴巴，時時刻刻地在提醒著他——成功需要忍辱，復仇需要忍臭。想復仇，請先付出代價。

西元前四九〇年四月二十六日，吳王夫差的病果然如預期般痊癒。

於是，這一天處理完政事後，他按照原先的承諾，在文台（吳宮台名）爲屎殼郎句踐先生擺下酒宴餞行，並傳下命令：「今天要爲越王安排北面的座位，群臣一律以客禮事之。」

這個命令意義極其重大。從這一刻開始，句踐正式脫離了卑賤奴僕的身份，得以重新恢復越王的地位。

5 南返

近鄉情更怯，句踐此時的心境，大概就是如此。沒想到，我還能活著回到此地……想著想著，他哭了，痛定思痛，反更傷心，往事一幕幕從眼前劃過，不堪回首。

眼見句踐今非昔比，成了吳王跟前的大紅人，群臣們馬上轉變態度，不僅對他客氣，更爭先恐後地跟他套近乎，似乎全忘了就在幾個月前，他們還將這人看得比臭狗屎更不如。

伍子胥心裡那個不痛快啊！要我將句踐這個陰險小人當成貴賓對待，對不起，辦不到！越想越氣，忍不住站起身來一拍桌子，拂袖而去。

果然是個又臭又硬的石頭腦袋。伍子胥越老越固執，凡是他認準了的事情，就是「一條道走到黑」。他永遠不懂得做人情搞關係，永遠不懂得妥協將就，還永遠一副怒氣衝衝、好像別人欠了他幾百萬的樣子，從來不管時間地點，更不分對象。

酒宴的氣氛一下子變得尷尬，群臣面面相覷，端起來的酒停在半空中，不知該放下，還是該喝下去。

夫差鐵青著臉，一言不發，心中將伍子胥這個不識相的老傢伙罵了數百回。

伯嚭見氣氛不對，忙笑道：「奇怪，如此美好歡樂的氣氛，怎麼有人會離席逃走呢？伍相國外徒剛狠，內欠厚道，大概是看到大家都這麼仁義，心中慚愧，所以不好意思繼續待下去吧！」

夫差也哈哈一笑，道：「嗯，太宰之言有理。別管那個敗興之人了，來！咱們接著喝酒！」

眾人紛紛陪笑，句踐和范蠡見機站起身來敬酒，祝詞當然是在臨席前就挖空心思擬好的：「皇在上令，昭下四時，並心察慈，仁者大王。躬親鴻恩，立義行仁。九德四塞，威服群臣。於乎休哉，傳德無極。上感太陽，降瑞翼翼。大王延壽萬歲，長保吳國。四海咸承，諸侯賓服。觴酒既升，永受萬福！」

果然會拍馬屁，句句都拍到點子上，夫差大為開心，是日盡醉方休，命王孫雒送句踐回賓館，說：「三日之內，寡人當親自送你回國。」

凍僵的蛇終於躺進了農夫的懷抱，臉上露出詭譎的笑。

第二天一大早，伍子胥急匆匆地闖進宮來，叫起宿醉未醒的吳王夫差，說：「昨天大王以客禮待仇人，這是不對的！句踐這個人陰險得很，表面上對您溫順恭敬，甜言蜜語，內裡卻是一肚子壞水，虎狼來著。豺狼的話怎可相信？猛虎的情怎可當眞？現在大王你放著我這個忠臣的話不聽，而去聽小人的諂諛之語，非要執著於婦人之仁，放過瀝血之仇。這好比把毛髮放在炭火之上，而僥倖於其不焦；把雞蛋放在千鈞之下，而希望其不碎。這是極其危險的做法，要不得，要不得啊！」

夫差冷笑道：「寡人病了三個多月，也沒見你來探問過我一次，就連水果都沒有送來半顆。人家句踐就不一樣了，爲了寡人的病，連屎都肯吃，這一點你做得到嗎？你還好意思說句踐是小人，我看你才眞正是個不忠不仁、自私自利的小人！」

蒼天啊！你夫差夜夜笙歌，不理國事，一切都是我伍子胥在打理。想去看你，我也要有空啊！你現在居然不辨忠奸，說我是小人，你要摸摸你的良心！罷罷罷！我本將心托明月，誰知明月照溝渠，我也不解釋了，可是爲了吳國，絕對不能把句踐放回越國，這是最後的機會了，一定要把你的彎繞過來。

於是伍子胥說：「爲什麼大王您老是聽不進老臣的話呢？狐狸縮起牠的身子，是爲了放鬆獵物的警惕；老虎擺出低伏的姿勢，是爲了做發動進攻的準備。野雞兩眼發花，被罩入羅網；游魚貪圖誘餌，死於釣鉤。越王就是那老虎、那狐狸，而把大王當成了那野雞、那游魚。他朝下嚐大王您的尿糞，實際上是爲了向上吃大王您的心肝。大王您若放虎歸山，到時社稷丘墟、宗廟荊棘，咱們再後悔可就晚了。」

看來伍子胥平常應該很喜歡打獵，什麼都拿動物來打比方。可惜，夫差不吃他那一套。「老是這套陳言濫調，你煩不煩哪？寡人之意已決，你不要再說了，退下！」話說到這個份上，伍子胥明白事情已經無法挽回了，癡癡地站起身來，也不跟夫差拜辭，轉過身，大笑而去。

「這堂皇的宮殿啊！難道就要眼睜睜地看著它變成一片池沼嗎？哈哈哈哈……」

淒涼的笑聲在空曠的宮室中不斷迴響著，孤獨的身影顯得格外落寞。

從那天開始，伍子胥就變了，變成一個徹頭徹尾的「祥林嫂」，時不時地就跟人抱怨說：「我眞傻，眞的。早知道，當初就不應該讓先王去攻打越國。如果先王沒去越國，他就不會死，如果他沒死，就一定會聽我的忠言，我的境遇就不會這麼糟了。你說是不是？是不是……」

你想想，身邊有這麼一個「祥林嫂」整天嘮嘮叨叨，夫差能不煩嗎？他漸漸地將伍子胥疏遠，很多事情都不再找他商量，就算有些大事不得不放在朝堂上討論，也大多不聽伍子胥的意見。當年威震天下的白髮魔男，今日竟然淪落成爲吳國政壇的邊緣人物，可悲，可歎哪！

確實，伍子胥再也不是從前那個白髮魔男了，他老了，老糊塗了，甚至都有點老年癡呆症了。其實，他大可不必整天嘮嘮叨叨地跟夫差說要殺句踐，這不是自討沒趣嗎？要是換做年輕的伍子胥，絕對不會這麼幹，找個刺客把句踐偷偷幹掉不就得了？一了百了。

從前的王僚厲害吧，慶忌厲害吧，還不是被幹掉！殺掉淪爲奴僕的句踐，又有何難？神不知鬼不覺，沒有任何證據，夫差能拿伍子胥怎麼樣？

就算事情洩漏，大不了被罵一頓，難道他眞會爲了個囚徒跟堂堂相國翻臉？最後也只能接受現實罷了。

三天之後，終於到了句踐歸國的日子。

吳王夫差帶領群臣，親自在姑蘇城南蛇門之外置酒送行，語重心長地對他說：「兄弟，再會了。希望你回到越國之後，痛改前非，眞心對吳，好好工作，天天向上，要只記得寡人的好，忘記寡人和你的不愉快。」

句踐叩首，肉麻地說道：「生我者父母，育我者大王。蒼天在上，賤臣句踐若背義忘恩，天誅地殛。願大王千歲千歲千千歲！」說完，在心中補了句「才怪」。

「君子一言爲定！好了，你乾了這杯酒就上車吧！再會！」句踐端起酒杯，一飲而盡，又一把鼻涕一把眼淚地跪在地上，磕了幾個響頭，做依依不捨狀。

夫差感動地扶起他，親自推他上車。范蠡執鞭一聲「駕」，馬車絕塵而去。

「再見！珍重……」兩人不停地揮手，親熱得好似一對惜別的戀人。

戲不但要演完，還要演足。作爲一個出色的演員，句踐深明此道，待到夫差的影子看不見了，這才放下手臂，朗聲笑道：「哈哈哈哈！我自由了！我自由了！」

范蠡也大笑：「是呀！大王，從今以後，海闊憑魚躍，天高任鳥飛，越國的臣民又有希望了。」

吳國壯麗的山河不斷從句踐眼前掠過，他負手站在車頭，深深地吸了口氣，放聲高唱：「天心漸轉興衰運，笑顛倒幾年豪傑。請看今日山河，定是誰家宮闕。」

至此，夫差親手爲自己埋下了一顆毀滅的種子。

時過境遷，從現在的角度來看，夫差的所作所爲眞是太傻太天眞，可做出這樣的評論，也只能算是事後諸葛。我們如果處在他那個時代，恐怕也會認同他。

春秋時期，爭霸才是主旋律。一國的君主想要稱霸，光靠殺掉幾個人、滅掉幾個國家，是沒有用的，還必須人品好、講道德、重言諾，並在滅掉小國後搞一套「興滅國，繼絕世」的仁義之舉，才能得到諸侯們的擁護，讓霸位被周天子承認。

那時的齊桓公、楚莊王都是這樣做的，不然像唐國、蔡國、陳國這樣的小不點，早就不知被滅了幾百回了。

春秋時期，一個大國擁有好幾個附庸國是很正常的事情，不一定非要把它們滅了。可是，同樣的道理，爲什麼到了夫差這兒就行不通了呢？

第一，因爲越國不同於陳、蔡等小國，國土面積並不比吳國小多少，拿這樣一個中等國家當附庸，是一件很危險的事情。

第二，春秋戰國之交，形勢發生了變化。經過連年的戰爭，諸侯們不再像從前那樣講信義，周天子說話也不像從前那麼算數。以樹立權威爲目的的爭霸戰，有逐漸朝戰國時代以攻城掠地爲目標的稱雄戰過渡的趨勢。吳王夫差苦抱著教條主義的錯誤路線，沒有認清楚大時代、大環境的細微變化，最終導致越國在眼皮底下逐漸崛起。這是他的歷史侷限性，他是不可能超越自己所處的時代看問題的。

我們不能光以現在的眼光看待歷史問題。比如鴻門宴，後人都嘲笑項羽存婦人之仁，放走劉邦。試問，坑殺秦軍二十萬的項羽，哪裡有所謂的婦人之仁？他之所以不殺劉邦，其實是因楚懷王有言在先，先入關中者爲王。他若殺了劉邦，在諸王眼中就是一個不講信用之人，必會遭到諸王的反對，甚至是聯合進攻。至於後來劉邦坐大，消滅項羽，那是誰也不會料到的。

吳王夫差還有另一個錯誤，在於對待句踐問題上的不理智。要不將他軟禁起來但不折磨他，要不，就徹底地去折磨他。你一會兒把人折磨個半死，一會兒又感情用事把人給放了，還想要別人不對你產生怨恨，世上哪有這麼好的事情？

還是吳王闔閭看自己兒子看得準，夫差這個人智商不高、婦人心性、孩子心腸，根本成不了大事。

卻說句踐一行一路策馬飛輿，不日回到錢塘江畔，望見隔岸故國山水，景色依舊，人事已非，不由仰面向天，歎然歌道：「春雷地奮，愁雲風捲，寒暑人間流轉。年年梁燕一回家，笑幾載不歸的句踐。江山不改，容顏全變，試問愁眉深淺。一朝羈鶴透籠飛，還又到故國江畔。」

近鄉情更怯，他此時的心境，大概就是如此。

沒想到，我還能活著回到此地……想著想著，句踐哭了，痛定思痛，反更傷心，往事一幕幕從眼前劃過，不堪回首。

「范大夫，寡人在吳國忍屈受辱三年，顏色憔悴，志氣隳頹。今日雖得還鄉，有何面目再見江東父老？」

范蠡道：「大王所言差矣，咱們脫身虎窟，已非几上之肉。蛻骨龍潭，豈是池中之物？今吳廷雖遠，家山尚遙，速宜前行，恐有他變。」

是啊！誰知道吳王夫差那個反覆無常的傢伙會不會反悔？還是先渡過江去，回到自己的地盤比較保險。

渡過江去，就見文種帶著群臣和百姓們，早在岸邊迎候多時，看到老主子回來了，無不歡天喜地，吹喇叭、放鞭炮，夾道歡迎。

句踐轉憂為喜，連連頷首道：「民心可用，民心可用呀……走！咱們回家！」

老虎擦乾了眼淚，開始了自己的復仇之路。

第10章

越國崛起

有了一系列優惠政策，越國人開始死命地生孩子。那年頭，大家不是比誰家有錢，而是比誰家生的孩子多。要是家裡小孩多，走在路上備受尊敬，倍兒有面子。

1 建築師

民間傳說，范蠡興建起山陰城之日，上天降下吉兆，一夜之間，不知從何處悄然飛來一座怪山。翌晨百姓見之，無不詫異。有人認得此山，竟是山東琅玡的東武山。

吳國雖然把句踐放了回來，但還是留了一手，留給越國的地盤只有區區百里方圓，還不到原先疆域的十分之一。西起周宗（今紹興涼帽尖），東至炭瀆（今上虞縣曹娥江），南造於山（即會稽山），北薄於海（今杭州灣）。拿出地圖將這四個地方標出來，我們會發現，此時的越國只占了今天紹興縣西北巴掌大的一塊地方，面積大小不過今日的一個小鎮，人口估計也就十萬不到，小得可憐。更何況飽受戰爭創傷，田地荒蕪，人口減少，生產受到很大破壞。句踐想要靠這麼點本錢發家復仇，簡直就是癡人說夢——至少從那時候來看是如此。

不過，君子報仇，十年不晚，只要能報仇，別說十年，二十年句踐也等得。「十年生聚，十年教訓」，伍子胥的這句名言，正好可以被越國人「拿來主義」，制定四個「五年計劃」，一步一步走，逐漸實現戰略目標。

句踐的首要任務，就是重建都城。

越國原先的都城平陽，如今已經是吳國人的地盤了，必須另挑個風水寶地，作爲戰略大本營。可是，這個大本營該建在哪裡好呢？

句踐的意思，是想放棄吳王所封之地，在封地南面的會稽山上重建國都。對此，他有四個方面的考慮：

一、三年前被吳國打敗的時候，就是逃到山上退守的。在這裡建國都可以警醒自己，不忘會稽之恥。

二、會稽山離吳國比較遠，四面環水，易守難攻。

三、當前越國飽受戰爭創傷，百姓貧敝，不適合大興土木。會稽上山已建有一個越王城，於原城基礎上建立國都，可以大大地減少開支。

四、會稽山區是於越民族的發源地，居住的都是土生土長的越國山民，群眾基礎比較好。

這四個理由看起來挺充分的，可是范蠡不同意，他說：「咱們可不能抱著老地方不挪窩。一成不變，如何發展？從前公劉去邰遷豳，在夏末大顯功德；古公亶父讓豳去岐，在商末發跡揚名。現在大王要重建國都，不鎮守地勢開闊的寧紹平原，不佔據道路四通八達的戰略要地，卻退居在閉塞落後的會稽山區，止步不前，如何建立霸王的基業？咱們雖然窮，該花的錢還是要花。」

句踐一想，得！你范蠡是計夫子的高徒，上知天文，下知地理，這看風水蓋宅子的事情，正好是你的強項，那重建國都的事，就全權交由你處理好啦！

由於吳王夫差隨時都可能反悔，再次攻打越國，所以范蠡必須抓緊時間，建築一座雖小但足以抵抗入侵的堡壘。跟當年的伍子胥一樣，他上觀紫微星象，下探風土民情，經過一連串的實地考察，終於決定在臥龍山（即紹興城區西北府山）東南麓建起一座山陰城，又名句踐小城。

此城於西元前四八九年，即句踐回國的第二年建成，城周約一千兩百二十三步，設陸門四處、水門一處，滿打滿算也就一個小山村大小，比起姑蘇城來，眞是寒磣呀！後來過了幾年，有點閒錢了，才又在小城東面建起一個山陰大城，又名蠡城，有三座陸門、三座水門。

讓我們看一下山陰城的城建規劃：

一、城的西北面，是一座高達十五米的「飛翼樓」（從宋代起稱望海亭），說是風水用途，以象徵「天門」，其實就是個「軍事瞭望台」。當時錢塘江江道從南大門出海，從飛翼樓可以北眺江濱，便於觀察吳國的軍事行動。

二、城的東南面，范蠡在地下鋪設洩水的石洞，在風水上講是代表「地戶」，其實就是古代的下水道。有了這玩意兒，日後伍子胥要想效仿孫武破郢故技，放水淹城，恐怕是行不通啦！

三、四個陸門都建在四通八達的道路之上，在風水上講是象徵「八面來風」，其實是爲了公共交通的需要。要想富，先修路嘛！

四、規劃外郭城牆時，故意在西北面留下缺口。范蠡嘴巴上說是爲了表示越國臣服吳國，不敢在面對吳國的方向修築城牆，實際上是爲了迷惑人。而且這樣一來，朝吳國出兵也更加方便。

看來，和伍子胥一樣，范蠡不僅是個軍事專家，而且是個出色的建築設計大師。

據民間傳說，范蠡興建起山陰城這座越國霸業的基石之日，上天還降下吉兆，一夜之間，不知從何處悄然飛來一座怪山，翌晨，百姓見之無不詫異。有人認得此山，竟是山東琅玡的東武山，後來越國的百姓就把這座山叫做「飛來峰」，孫悟空便是從這山上的一塊怪石中生出來的。

更怪的是，原先在琅玡東武山腳下的東武村也跟著飛了過來，村裡的百姓一覺醒來，就發現自己從齊國人變成了越國人，這可眞是天下第一奇事。

對於這件事，范蠡是這麼解釋的：「臣之築城，上應天象，故天降『崑崙』，象徵越國將成霸業。」

越王大喜：「原來寡人是奉天承運來當天下霸主的。哦賣糕的！老天爺呀！神啊！寡人一定不會辜負您給我的使命。」

這件事當然是鬼扯，八成是後人捕風捉影穿鑿附會上去的，不過今天的紹興市區解放路確有此山，名字很多，怪山、飛來山、寶林山、龜山、塔山什麼的都有。據《吳越春秋》記載，句踐還在這座與自己的命運有著神奇聯繫的山上建起一座「靈台」，又稱「怪遊台」，共三層高樓，周五百三十二步，高十．六米，用於仰望天氣、觀察星象，是中國有記載的第一座綜合性天文和氣象台。

現在，越國有了句踐小城這座政治中心，後來又有了山陰大城這座經濟中心，句踐終於可以憑藉這兩個基地，放開手來實行他「十年生聚，十年教訓」的復興計劃了。

可是，整個越國還是殘破不堪、百廢待興，簡直讓人不知從何下手爲好。

2 自虐狂

為了警醒自己，句踐想出各種辦法自虐。大冷的冬天抱著冰塊跑步，熱死人的夏天抱著炭爐蛙跳。睡覺非要睡在柴禾上，飯前便後時不時舔一舔掛在床邊的苦膽。

先別說復興了，越王眼前，有一個尷尬的問題急需解決。

當年，句踐為夫差嚐糞問疾，從此就患上嚴重的口臭病。每次上朝跟群臣商討政事，一開口，濃烈的惡臭立馬瀰漫宮殿，薰得大家是頭昏眼花，嘔吐連連。群臣們別說一起商量復興計劃了，堅持上班都成問題，那時候又沒有防毒面具，況且戴個面具去上班也太搞笑了一點。

還是能人范蠡有辦法，他在山陰城北一座山上發現一種蕺草，紫色的莖、青綠的葉，味道苦苦的，氣味還有點怪。把這種怪草放在嘴巴裡，不但可以提神醒腦，還可稍微抵抗惡臭。只是苦了一幫忠心耿耿的大臣們，上班就跟受罪一般。

另一方面，爲了時刻警醒自己，句踐想出各種辦法自虐。餓了，就啃個窩窩頭；睏了，就用辛辣的蓼草抹自己的眼睛；冷了，就用冰水泡腳刺激神經。大冷的冬天，抱著冰塊跑步；熱死人的夏天，抱著炭爐蛙跳。睡覺也不用席夢思，非要睡在柴禾上，飯前便後還時不時舔一舔掛在床邊的苦膽。不僅如此，經常是睡得好好的，忽然爬起來對著那塊苦膽又唱又跳。

膽哪！

你顏色墨而綠、你不美、你不香、你性寒、你苦而澀，

一看見你，就知道你的氣味是多麼難以入口、多噁心。

你苦啊，膽！

可你是清心明目的，你叫我們眼亮耳明，看得見希望。

你苦啊，膽！

然而你是退熱的、定神的，

你叫我不焦躁、不慌張。

在敵人面前，深思戮慮、知機觀變、要沉靜。

膽，你是多麼苦啊！
但是你能教人膽壯、叫人勇敢，敢於面對一切殘暴和不平。
膽，你苦啊！
但你是驅毒的、除不潔的。
你教我們把一切懶惰、苟安的毛病都一起拋卻，
教我們敢於把這骯髒的世界洗得乾乾淨淨。

——曹禺《膽劍篇》

看來，句踐同學活生生地被口臭和仇恨整出神經病來了。用現代醫學觀點來解釋，應該稱之爲因心靈重創而導致的厭食抑鬱狂躁自虐症候群。

3 送禮的學問

捨不得孩子套不著狼，夫差一下子接到這麼多禮品，一高興，也不跟伍子胥商量，立馬就下令增加越國的封地，還回贈用羽毛裝飾的旌旗、諸侯的服飾等儀仗。

前面說了，越國僅靠著區區百里的地盤，想要實施復興計劃，根本就是癡人說夢，所以句踐決定下血本，給吳王送禮，讓吳國再多賞點地盤來，否則就算把苦膽舔成月光寶盒，也絕對報不了嚐糞之恥。

送什麼好呢？

這個問題很簡單，四個字：投其所好。

句踐找來大臣們商量：「吳王是個很懂得享受的人，平常喜歡穿寬鬆透氣的衣服。聽說城東七里處有座『葛山』，出產葛藤，寡人想派人去這山上採葛，然後由女工們織成細布，獻給吳王，討他的歡心，如何？」

大臣們表示同意：「送布好，送布好！這禮拿得出手。誰都知道，這年頭，不送禮，啥事兒都辦不成！」

過了幾天，句踐又道：「吳王還喜歡養寵物，尤其喜歡白鹿。聽說城外二十九里處有座『鹿池山』，山上有白鹿出沒，寡人想派人養些獵犬，去抓幾隻白鹿來獻給吳王，來討他歡心，如何？」

「送鹿好，送鹿好！這個禮送得有水平！」

又過了幾天，句踐又說：「吳王還很喜歡遊獵，因而收藏了不少馬鞭。聽說城外三十五里處有座『六山』，山上出產良竹，寡人想派人去這山上採竹，製些竹馬鞭來獻給吳王，討他歡心，如何？」

「老大，拜託，你想送什麼，一次性說完好不好？這樣，我們也可以歸在一起準備啊！」

句踐不好意思地一笑，回去仔細研究，終於搗鼓出一張禮單來：葛布十萬匹、甘蜜九桶、狐皮五雙、箭竹十船，還有白鹿、馬鞭……等不一而足，統統讓大夫文種給夫差送了過去。

捨不得孩子套不著狼，這些個奢侈品反正用不著，索性送給夫差吧！

夫差一下子接到這麼多禮品，大喜：「原以爲越國這樣的鄉下地方沒啥有檔次的東西，沒想到他們一次就送來了這麼多好東西。句踐這小子，果然有眼力見兒，我喜歡！」

所謂來而不往非禮也，他一高興，也不跟伍子胥商量，立馬就下令增加越國的封地，還回贈給句踐用羽毛裝飾的旌旗、諸侯的服飾等儀仗。

其實，旗子呀衣服呀這些虛的東西根本不稀罕，最關鍵的是地盤，這才是實實在在的大好處。越國的地盤終於恢復到戰前的八十％，達到了方圓八百里：南至句無（即今諸暨縣句乘山），北至御兒（今嘉興境內），東至鄞（今鄞縣附近），西至姑蔑（今衢縣附近）。不管怎麼說，總算有個國家的樣子了。

好消息傳到越國，不僅句踐君臣們開心，越國的百姓們也跟著高興。有一個採葛女子爲此還發表了一首情感濃烈的愛國詩歌，叫做《苦之詩》：

葛不連蔓台台，我君心苦命更之。
嘗膽不苦甘如飴，令我採葛以作絲。
女工織兮不敢遲。
弱於羅兮輕霏霏，號素兮將獻之。
越王悅兮忘罪除，吳王歡兮飛尺書。

增封益地賜羽奇，機杖茵褥諸侯儀。

群臣拜舞天顏舒，我王何憂能不移？

誰說春秋時代民間沒有愛國女詩人了，瞧瞧！這個採葛女文采多好！如此人才居然跑去當女工，可惜了。

這是吳王夫差的又一次大失策，你開心就開心，口頭嘉獎一下再送點諸侯儀仗等無關緊要的東西也就罷了，偏偏要送越國人地盤，這不是自己給自己挖墳墓嗎？

伍子胥聽說這件事兒，肺都快氣炸了，寫信跟夫差說自己有病，請假，幾個月不上班，躲在家裡生悶氣。夫差不理他，這個「老憤青」，不來上班就算了，眼不見心不煩，沒有他在身邊嘮叨，倒還落得個耳根清淨。

說句題外話，據《史記．孔子世家》記載，越國送給吳國的奇珍異寶裡，還有一節巨大的骨頭，足足有一輛車那麼長。據孔子他老人家考證，當年大禹召集群神到會稽山來開會，防風氏遲到，大禹就把他殺死並陳屍示眾，這塊大骨頭，就是巨人防風氏的屍骨。他還信誓旦旦地稱，防風氏的具體身高達到三丈長，眞能掰！依現在看，那塊骨頭很有可能是恐龍化石。

4 人多力量大

有了一系列優惠政策，越國人開始死命地生孩子。那年頭，大家不是比誰家有錢，而是比誰家生的孩子多。要是家裡小孩多，走在路上備受尊敬，倍兒有面子。

有了地盤，越國的復興計劃終於可以繼續開展。所謂「十年生聚，十年教訓」，句踐首先要做的一點，就是生聚，換句話說，生孩子。

想要打敗吳國，靠什麼？葛布、甘蜜、狐皮、白鹿？

這些統統沒用，統統送給吳國好了。冷兵器時代的戰爭，得靠兵、靠糧食、靠武器。而想要兵、糧食、武器，得先有人！

有了人，就有兵；有了人，就可以生產糧食；有了人，就可以製造武器。所以啦！沒有人，一切免談。

越國目前的第一要務，就是制定科學的人口政策來鼓勵生產、鼓勵生育。生得越多越好，三個五個不嫌多，十個八個那更好。

於是句踐頒布以下規定：

第一，男人滿二十歲、女人滿十七歲就必須結婚，否則父母受罰。

第二，老頭不能娶少女，犯者閹了當太監。當然，他自己除外。

第三，婦女臨產前必須報官，由國家統一安排醫官檢查照顧，以保證「優生」。

第四，生男孩，獎勵兩壺酒，一條狗；生女兒，獎勵兩壺酒，一頭豬。紹興黃酒天下聞名，據說可以幫助催奶和恢復產婦的體能，有利於「優育」。

第五，家有兩個兒子的，國家供給「月子餐」，並負責養活一個；有三個兒子的，國家供給乳母，並負責養活兩個；有三個以上兒子的，恭喜你，全家以後的生活費，國家全包了。

第六，將國內所有寡婦遷到山陰城西北的一座小山上，稱「獨婦山」。國內但凡討不上老婆的單身漢，都可以去找這些寡婦尋歡作樂。從這裡生出來的小孩無父無母、無依無靠，正可收歸國有，訓練成沒有牽掛、沒有感情的殺人工具，也就是「死士」、「間諜」或者「特工」，用於執行危險的特殊任務。

有了這麼一系列的優惠政策，越國人開始死命地生孩子。那年頭，大家不是比誰家有錢，而是比誰家生的孩子多。你要是家裡小孩多，走在路上都備受尊敬，倍有面子。生得最多的那個婦女，還會被評為「生育明星」，戴紅花坐華車，全城遊行，接受國人的鮮花與掌聲，然後由越王親自接見，以「國母」之禮待之。

不出多時，越國便人丁興旺、兵源充足，除卻其他方面，至少在人口這塊，已經具備了春秋大國的實力。

句踐的下一個行動，就是收拾民心，同仇敵愾，一起來對付大仇敵吳國。

他又規定了：

第一，每家每戶，嫡子死了，免除三年徭役；庶子死了，免除三個月的徭役。句踐會親自哭著參加葬禮，像自己死了兒子一般。

第二，凡是有病和貧弱的家庭，由國家供給子女生活費用。

第三，對那些有才幹的人，給他們整潔的住房，穿好的、吃好的，交流思想，切磋武藝。對各國來投奔的士人，一定安排在最高級的賓館裡，以禮接待。

第四，在山陰城外的雞山、豕山上養雞養豬。每到節假日，句踐必帶著裝滿雞肉豬肉的車船出行，給街上的流浪漢提供吃喝，問貧訪苦，扶危濟困。

第五，句踐帶頭親自澆水種田，其夫人則親自採葛織布，自給自足，為國人樹立榜樣。

第六，整整十年，國家不收賦稅，以保證百姓家裡備有三年的存糧。

越國人真應該感謝夫差，要不是他賜給句踐如此巨大的屈辱，他們的君主怎會做出這麼多有益於人民的事情？越國的民心空前高漲，紛紛請求跟吳國打一仗，給自己的主子出氣。

句踐見此情景，心潮澎湃，忍不住想快一點復仇，便召來群臣，商量滅吳大計。這時候是越王句踐九年（西元前四八八年）正月，距離他被放回國，已經整整三個年頭了。

句踐說：「寡人歸國三年，臥薪嚐膽，時刻不忘會稽之恥、養馬之苦、嚐糞之羞，心心念念，要復大仇。就像兩腿皆瘸的人，念念不忘起身走路；雙目失明的人，念念不忘看見光明。如今在大家的一致努力下，越國的國政總算稍有成效。各位大夫，你們說，寡人可以去攻打吳國了嗎？」

大夫逢同進諫說：「大王，不可。我也想今天晚上打衝鋒，明天就把夫差的十幾萬人馬幹掉，可是不行呀！我國遭受重創，而今才稍有起色，大王絕對不能過早曝露自己的意圖。如今吳國兵壓齊、晉，而對楚、越皆有深仇大恨，我們不如趁機親近於齊，深結於晉，陰固於楚，厚事於吳。吳王夫差猛驕而喜自誇，必定會輕慢諸侯而欺凌鄰國。這樣吳齊晉三國爭雄，戰爭不可避免，我國自可坐收漁翁之利，待吳國疲困之時，一舉攻入吳都，報仇雪恨。」

句踐點頭表示同意。至此，越國復興計劃的第三招正式宣告成熟。

「增加人口」和「收拾民心」都屬於內政範疇，逢同卻站在全局的戰略角度上，大致勾畫出了日後的外交政策：結交楚齊晉三國，並挑動三國與吳國之間的矛盾，如此不但可以消耗吳國的國力，使日後報仇更加容易，還可以借吳國之手損傷楚齊晉三國，為滅吳之後的稱霸天下鋪平道路。

這眞是個把握全局、高瞻遠矚的長遠之計，可以算是戰國時縱橫家「遠交近攻」策略的開山鼻祖。

第11章

吳國的霸業

風雲突變，後撤的吳軍忽然左右讓開，從中間殺出一支龐大的生力軍，正是剛吃飽飯精力旺盛的吳國三萬中軍。原來鳴金不是退兵的信號，而是反攻的號角。

1 爭鋒

楚昭王御駕親征，與吳軍對峙。「柏舉之戰」慘敗的陰影太大，他決定讓太卜算一卦預測吉凶。想不到結果讓君臣大失所望：卜戰，不吉；卜退，亦不吉。

越王句踐拚了命地積蓄力量的同時，吳王夫差將眼光移向了長江以北，壓根兒沒有注意到眼皮底下的越國正磨刀霍霍。

本來嘛，攻打越國只是爲了復仇，當大仇得報，熊熊的野望就開始在夫差心中慢慢滋生。稱霸中原，才是他的終極目標，小小越國，只不過是攔在面前的一塊小石子兒罷了。沒錯，夫差的野心是整個天下，他要讓天下間所有人都臣服在自己腳下，包括強大的齊晉兩國。

他的第一個目標，是江淮各國，那些曾經臣服在他父親腳下，現在又因爲楚國的復興而背叛的兩面派。

就在幹掉越國的那年（西元前四九四年），吳王夫差率大軍攻打陳國（今河南淮陽縣城關一帶，楚國的小弟），理由是當年闔閭滅楚時，陳懷公沒有來交保護費。

揍完了陳國，他很快又去找蔡國的麻煩。

「柏舉之戰」期間，蔡國本來一直都是吳國的盟友。楚國復國，並且慢慢恢復元氣後，就開始瘋狂地報復蔡國，趁著吳國用兵越國的時機，約合隨、陳、許三國，大舉進攻。

經過幾場激烈戰鬥，蔡國的城池、疆土大部分落入楚軍手中，最後，國都被四國聯軍包圍。蔡軍一面堅守國都，一面派人到吳國求援，可吳國適時正在夫椒與越國大戰，無力援助。蔡昭侯無奈，只得投降，楚國答應退兵，條件是蔡國必須舉國遷到江、淮之間，以便控制。

可這時吳王夫差已搞定越國，兵強馬壯，志得意滿，當然不會讓楚國的如意算盤得逞。西元前四九三年的冬天，吳國派大將洩庸去蔡國進行國事訪問，在蔡昭侯的協助下，趁夜偷偷將軍隊開進蔡都。

第二天，吳軍殺死蔡昭侯的政敵親楚派頭目公子駟，逼蔡東遷至離吳國更近的州來。州來因在蔡故都上蔡的下游，故又稱下蔡（今安徽鳳台縣境）。

到了吳王夫差七年（西元前四八九年），他認爲自己已將越王句踐修理兼調教成功，遂將其放歸越國，放心大膽地再次伐陳，美其名曰「復修舊怨」。

小弟有難，大哥怎可坐視？楚昭王當即御駕親征，率軍救陳，並於當年七月趕到楚陳邊境的重鎮城父，與吳軍對峙。

他雖然自認實力不會比吳國差多少，但畢竟「柏舉之戰」慘敗的陰影太大，對即將和吳國發生的正面對決心有餘悸。在這種情況下，他決定讓太卜算一卦來預測吉凶。

想不到算出來的結果讓君臣大失所望：卜戰，不吉；卜退，亦不吉。

進退兩難，如何是好？

關鍵時刻，楚昭王表現出難得的英雄氣概，說：「戰也是一死，退也是一死。左右都是一死，不如跟吳國人拚了！戰死沙場，總比窩窩囊囊的死要好。」

於是，這一年的七月十六日，楚昭王在確立好自己的繼位人選後，與吳軍在大冥（今河南周口地區項縣境）拚死一戰，不幸重傷。當時，天上的雲彩好像一群紅色的鳥，夾在太陽兩邊飛翔，一連三日，都是如此。太史對他說：「這個天象告訴您，只要祈求上蒼把災禍轉移到您的令尹、司馬身上，您就不會死了！」

楚昭王不忍心這樣做，慨然而死，其子熊章繼位，是爲楚惠王。

楚軍退後，陳國見機反水，改投吳國的懷抱，死心塌地當起了吳國的小弟。

連大家都看好的楚昭王也死在自己手裡，吳王夫差更加得意，更加相信自己就是上天認定的天下霸主，誰想要跟他作對，都不會有好下場。

「氣吞宇宙眞豪傑，誰似我崔嵬功業，便是再出世的桓文也讓些！哈哈哈哈……」他站在姑蘇台上，看著碧波萬頃雪浪翻空的太湖，放聲大笑。

搞定了南方諸國，接著開始進攻山東半島，找齊魯二國的麻煩。

適時，齊國的中興之主齊景公，已於在位的第五十八年（西元前四九〇年）秋病逝，幼子太子荼被公子陽生和田氏家族聯手殺死，公子陽生即位，是爲齊悼公。田、高、國、鮑、晏等五大家族爭權奪利，鬥爭達到白熱化，尤其是實力最爲雄厚的田氏家族，欲取齊而代之的野心已然半公開化。

魯國的情況更麻煩，三桓專權，內鬥不休，大賢人孔子又被趕出國，在衛國寄人籬下，只有一個子貢（名端木賜，字子貢，衛國人，孔子高徒，時任季氏宰），苦苦地支撐著風雨飄搖的國家。他是孔子在魯國政壇唯一的希望，也是最後的希望。

夫差的野心開始無止境地膨脹，現如今秦晉無能，楚越俯首，齊魯大亂，唯我吳最強，如此有利的國際局勢，不正是寡人蠶食山東、稱霸天下的大好機會？看來，就連上天都要寡人成爲霸主，怎麼能客氣？

好，就拿最弱的魯國第一個開刀吧！

吳王夫差八年（西元前四八八年），夫差收到數量驚人的貢品，認爲越國已經完全臣服在腳下，不足爲慮，遂恢復了越國大部分的地盤，並放心大膽地親自率軍北上攻打齊國，兵至繒邑（今山東棗莊），召見魯哀公，並向其索要保護費「百牢」。

所謂百牢，指的是一百套用於祭祀的牢具，每一牢爲牛、羊、豬各一頭。周朝禮制明確規定，天子十二牢，上公九牢，侯伯七牢，子男五牢。吳王夫差居然指明要求一百牢，簡直就是獅子大開口！

魯國大夫子服景伯無奈，只好跟他討價還價：「老大，一百牢實在太多了，能不能少點？」

吳王說：「有啥多的？去年宋國人也交了這麼多。你們魯國比宋國還有錢，怎麼能少？再說，你們給晉國六卿的保護費都超過十牢，難道我吳王還不如晉國的六卿？」

子服景伯接著叫苦，答道：「君王，您就可憐可憐我們這些當小弟的吧！您我們惹不起，晉國人我們也惹不起，但是按照周禮，十二牢的保護費是最多了，所以才給了晉國人十一牢的保護費。這樣吧，給您十二牢的保護費，不能再多了，周天子的待遇也不過如此。」

吳王夫差不聽，開始耍賴：「我們吳國是蠻夷，不懂得周禮那一套，別跟寡人講那些沒用的，快點交錢……哦！不是，交畜生！」

這可好，秀才遇到兵，有理說不清。魯國人再怎麼能說會道，碰上夫差這樣的流氓大王，也只好乖乖交出「百牢」，免得「蠻夷」一生氣，自己吃不了兜著走。

吳王夫差得了便宜，又大出鋒頭了一把。太宰伯嚭眼饞了，也想占魯國人便宜，也想出鋒頭。於是他寫了封信給魯國實際的掌權者季康子，叫人家也來繒邑跟自己會面，順便索要些好處，發筆小財。

伯嚭那點小九九，深諳權謀之道的季康子焉能不知？他不捨得出血，也不想丟面子，便派得力手下子貢前去打發。

對於子貢的能力，季康子絕對有信心，這位被孔大聖人譽為「瑚璉」（古代宗廟盛放黍稷用以供神的祭器。俗話說某人能成大器，而這瑚璉，就是所謂大器中的大器）的政壇新星，擁有非凡的辯才。只善誇誇其談的伯嚭，完全不是他的對手。

伯嚭一看季康子沒來，不高興了，對子貢說：「本大人遠道而來，你們老大卻連個面都不露，太不給面子了吧！你們身為禮儀之邦，可不能這麼不講『周禮』。」

嘿嘿！吳王夫差口口聲聲說自己是蠻夷，不用管「周禮」那一套，伯嚭這個吳國臣子卻突然跟魯國人講起「禮」來，真是個天大的笑話。

子貢笑著回答：「豈敢豈敢？我們老大季康子一向是很講『周禮』的，只是聽說你們吳國自太伯起就斷髮紋身，自稱蠻夷，從不遵從那一套，所以我們小國決定向你們大國學習，從今以後也不再講究什麼狗屁『周禮』了！」

沒想到秀才也有耍無賴的時候，伯嚭沒轍，灰頭土臉地打道回府。

這次外交活動，本來可以以吳國的完全勝利告終，偏偏伯嚭這個草包得了便宜還賣乖，想再撈點好處，順便羞辱一下魯國人，結果卻偷雞不成反蝕一把米，被羞辱一番，丟臉丟到家。而這也給了季康子一個感覺，吳國人貌似強大，其實草包不少，沒啥了不起的，好像也不用怎麼怕他們，不由有點後悔，早知如此，何必低聲下氣送那麼多豬牛羊？虧了！

他越想越氣，遂決定還以顏色，去攻打吳國的小弟邾國（在今山東鄒城市）。這是他老早就想幹的事情了，邾國雖是魯國的附庸，但自從投靠了吳國這棵大樹，就越來越不把正牌老大放在眼裡，這還得了？

西元前四八八年秋天，魯軍伐邾，很快兵臨城下。此時，邾國國君邾隱公卻還在優哉遊哉地聽小曲。

大夫茅夷鴻進諫道：「老大，別聽歌了，魯國的兵已經殺到城門外了，咱們快點去找吳國救命吧！」

邾隱公醉醺醺地說道：「把酒當歌，人生幾何？反正吳國遠在千里之外，遠水救不了近渴，寡人還不如及時行樂，快活一會兒是一會兒，明日愁來明日憂。」

茅夷鴻仰天長歎，我是造了哪門子的孽呀？怎麼攤上個這麼沒用的老大！算了，走人好了，沒必要陪著這個倒楣鬼一起死！

茅夷鴻不戰而逃，魯軍輕易地攻進邾國國都，邾隱公逃到繹山（今鄒城市嶧山鎮一帶）。魯軍在城內瘋狂搶掠了一天一夜，最後攻入繹山抓住邾隱公，將其囚禁在負瑕（今山東兗州縣西二十五里處）。

邾國大夫茅夷鴻帶著五匹帛、四張熟牛皮來到吳國，對吳王夫差說：「魯國仗著他們人多，欺負大王您的小弟，您可要替我們出氣呀！」

夫差可看不上茅夷鴻那點兒寒酸的禮品，不過魯國夏天還對自己服服貼貼，秋天怎麼就開始不聽話了呢？不行，得揍揍他們！

唉！爲了自己的面子，季康子錯誤地估計了形勢，終於徹底惹上吳王夫差這個流氓老大。從此，魯國的好日子正式到頭。

2 計大師來也

眾臣默不作聲，沒有人回答。越王句踐見狀，長歎道：「寡人真是白養活你們了！」其實，這番表演是做給一個人看的。那個人，是范蠡的老師——計然。

另外一邊兒，我們的句踐老兄眼見著吳王夫差西霸江淮、北威齊晉，一天比一天得意，一天比一天威風，心就像放在油鍋裡炸過一般，別提多難受了。

終於，到了西元前四八七年二月的一天，他再也受不了啦！派人拉動警鈴，敲響警鐘，又大放廣播，緊急傳令，將國內從上到下所有大臣全部叫進宮來，召開政府臨時擴大會議。連一向不喜過問政事的國師級人物計然也被強拉過來，可見越王對此次會議的重視程度。

「同志們，寡人回國轉眼將近五年了，國計民生雖稍有起色，國民經濟卻遲遲停步不前，昨天我上網查了一下，咱們的股市大盤指數還是很低呀！我臨時決定召開這個大會，就是要集思廣益，想辦法徹底振興我國的經濟，以便更快地實現滅吳復仇的戰略目標。你們有啥好提議，都可以舉手發言，說得好，寡人重重有賞！」

眾臣默不作聲，沒有人回答。這裡面有農業能手、政治能手、外交能手、軍事能手，可是對市場經濟全都是半桶水，誰也不比誰強多少。越國一向是個落後的農業國家，現在要學人家搞商貿，誰也沒經驗。

越王句踐見狀，仰面朝天，長歎道：「我聽說主憂臣辱，主辱臣死。現在寡人要報仇，就要振興經濟，你們身為寡人的大臣，卻連一點毛用都沒有。寡人真是白養活你們了！」

其實，他這番表演都是做給一個人看的。

那個人，就是范蠡的老師——計然。

計然，那可是神一般的人物，不輕易出手的。他來到越國十幾年，每天遊山玩水，從來就不見幹活，句踐也不敢拿他怎樣，還是畢恭畢敬當神一樣供著。不到關鍵時刻，他也不想麻煩這位老先生，可現在實在沒轍了，只好用這個辦法來逼人家出馬。

大家低下了頭，偷偷看范蠡。范蠡一笑，偷偷地拉了拉老師計然的袖子，低聲道：「老師，現在該輪到您老人家出手了吧？」

計然抱起雙手，施施然道：「關我屁事！」

「老師，幫幫忙吧！您就忍心看著我們被老大罵？」

「別裝了！之前我在東海邊渡假，每天享受陽光、沙灘、比基尼美女，不知過得多快活。突然來一封信，說你病得快死了，我才急急忙忙跑來看望，沒想到一來你又說病好了，活蹦亂跳得不知多健康。這當口句踐忽然說要開什麼會，你以爲我傻到不知你們的貓膩？」

范蠡老臉一紅，又一咬牙，拖住計然的手，嗲聲嗲氣地撒嬌道：「老師……」

枉計然幾十年道行，一時也承受不住，起了一身雞皮疙瘩，連忙站起來想走。沒想到句踐眼尖得很，見此情景，連忙衝下來躬身道：「先生急匆匆站起來，莫非有教於寡人乎？」

計然招架不住，無奈之下，只好道：「算你們兩個狠！好，那我就教幾招！」

范蠡和句踐趕快拿出本子做筆記。

「首先，你們要先明白一個道理：所謂市場經濟，最關鍵的所在，在瞭解商品的供求關係。供過於求，商品的價格就會下跌；供不應求，商品的價格就會上漲。當物價貴至極點，就會返歸於賤；賤到極點，又要返歸於貴。所以，貨物貴到極點時，要及時賣出，視同糞土；貨物賤至極點時，要及時購進，視同珠寶。這，就是一切商業行為的最根本規律。明白了這個道理，接下來的策略就很簡單了。」

「第一，旱時，國家要儲備船隻以待澇；澇時，國家就要儲備車輛以待旱。這樣一來，才不會在特殊時期讓車船的價格暴漲，破壞民生。」

「第二，根據我的研究發現，越國的水土，一般六年一豐收，六年一乾旱，十二年有一次大饑荒。我要說明的就是，市場上糧食的價格，對於一個國家十分重要。如果每斗糧價只有二十錢，農民就會受損害；可每斗糧價達到九十錢，商人就要遭受損失。商人受損失，錢財就不能流通到社會；農民受損害，田地就要荒蕪。只有將每斗糧價控制在三十錢到八十錢之間，農民和商人才能一同得利。所以，我主張由國家來專營糧食，以調節、穩定糧價。另外，糧食的平價出售，還可以平抑調整其他物價，使得國家關卡稅收和市場供應都得到保證。這，就是我所發明的『平糶理論』。」

「第三，還是那句話，糧食很重要。所謂『三軍未動，糧草先行』。吃不飽的戰士，不堪一擊。大王如果不儲備好足夠的糧食就貿然攻打吳國，恐怕不要一個早晨就會把國家給斷送掉……」

句踐忍不住插嘴說道：「這個道理我明白，所以寡人都是自己親自種地，給國人當榜樣。」

計然嘴一撇，擠兌他說：「這件事我聽說了，不過依我看，這只是在賣傻力氣。

您身爲一國領導人，應該利用科學的農業知識對生產進行規劃和指導，不必事事親力親爲。作秀一下就得了，不用老是裝模作樣。」

句踐強忍怒火，低頭道：「謹受教。」

計然接著說：「第四，商品經濟，資訊很重要。身爲一國領導人，必須掌握資訊和商品流通的知識。如果能掌握，預知商品價格的起落，就可以在合適的時機做出買進或拋出的決定，機會好時，一年可得到兩倍的利潤，差一點也可以翻一倍。如果能掌握商品的來源、流通情況，即使需要舟車輾轉運輸，千里以外的貨物照樣可以運來。不熟悉商品的流通情況，近在百里的貨物也來不了。」

「如果說第四點是關於物流理論的話，那第五點咱們就講講倉儲理論。積貯貨物，應當務求完好牢靠，凡屬容易腐敗和腐蝕的物品，不要久藏，切忌冒險囤居以求高價。」

「第六，千萬不能積壓資金。要把死錢變成活錢，使資金如同流水一樣快速周轉，這樣才能使錢生錢，不斷地增值。」

句踐徹底拜服了，這些個道理，自己是聞所未聞，當眞是「聽君一席話，勝讀十年書」。他知道計然喜歡雲遊四方，這會開完了，說不定就很難再找到人了，趕緊抓住機會，繼續請教：「先生，我還有一個疑問。我們越國眼下連年豐收，怎麼街上還有一些討飯的流浪漢呢？寡人經常帶了一車吃的去救濟他們，可怎麼好像永遠都救濟不完似的，這讓我很費解、很鬱悶哪！」

「道理其實很簡單，這世界上，只要有人，就一定有窮人和富人。人的素質不同，謀生的手段和方法也就不同，社會產生貧富差距是客觀的，也是必然的。大同世界只是某些人的幻想，根本不可能實現。大王拿吃的去接濟窮人，這是好事，卻是治標不治本的辦法，授人以魚，不如授人以『漁』。想要縮小貧富差距，光靠慈善事業和社會保障體系遠遠不夠，必須發展經濟，拉動內需，增加就業機會，這才是解決問題的根本之道。好了，我講得夠多了，口乾舌燥，要回去休息了，明天還要去夏威夷渡假呢！陽光、沙灘、海鮮，還有可愛的比基尼少女，我來啦！」

計然說著，張開雙臂，就要往會場外面跑。句踐趕緊拉住他，露出標誌性的神情和眼神，哀求道：「先生呀！您就留下來再傳授寡人一些治國的道理吧！寡人需要你，越國需要你，越國的百姓需要你……」

計然不耐煩地掙脫，怒道：「Shut up！你的演技爛透了！台詞陳舊，感情做作，你應該這麼演……喂！不對，我怎麼開始教你演戲了？哎喲！我的腦袋都被你搞昏了。這樣吧！這是我剛寫好的一本經濟理論著作，思想精華全在上面，自己拿回去慢慢研究吧！我去也……」

3 滅吳九策啟動

姑蘇台高三百丈，寬八十四丈，有九曲路拾級而上，登台遠眺，可飽覽方圓二百里湖光山色和田園風光，冠絕江南，聞名天下。真是站得高、尿得遠，酷斃了！

當越國的句踐苦心研讀計然那本超越時代之偉大著作的時候，我們的吳王夫差又在幹些什麼呢？

他想蓋房子。

魯國要打，霸要稱，福也要享。身爲所謂的「天之驕子」，沒有一座堂堂皇皇的樓台，這可不行！這種心理很正常。我們現代人要是有錢了，第一件大事就是買房買車：錢少買套房，錢多蓋別墅。古代人也是一樣。又是破楚，又是滅越，夫差自然有錢得很，車他多得開不完，房子卻嫌不夠漂亮。他想蓋一座前無古人、後無來者的華樓高台，供自己遊玩享樂。

對於這方面，太宰伯嚭最有心得。夫差找他來商量說：「現在我國強盛，四方臣服，寡人想蓋個高樓大廈彰顯霸業、與民同樂，太宰以爲何地爲佳？」

伯嚭道：「吳國境內，崇台勝境，湖光山色，莫過於先王在姑蘇山上所建的姑蘇台了。只是這樓台雖玉宇，高處卻沒有不勝寒，一句話，不夠高，不夠大呀！這怎麼能襯托大王您偉岸絕倫、英明神武的傲人身姿？又怎麼能彰顯您前無古人、後無來者的偉大功業？我認爲，大王您應該擴建此台，令其高可望數百里，寬可容六千人，而聚歌童舞女於上。如此，瓊樓玉宇，笙歌燕舞，飽覽河山，太湖風光盡收眼底，實乃人間第一樂事矣！」

夫差大喜：「太宰言之有理。」立刻懸賞搜求各種名貴木材，尤其是又粗又大的整木，作爲增建姑蘇台的建材。

越國大夫文種得知了這個消息，大喜，忙去找越王句踐。這些年來他苦思冥想所得的「滅吳九策」，可以正式派上用場了。哼！之前都被范蠡師徒搶盡了鋒頭，現在也該輪到我文種展現才華了。讓你們都看看，我文種雖然長得呆，卻不是個只會求和行賄的庸臣，而是擁有經天緯地之能的曠世奇才。

「大王，臣聞『高空之鳥，死於美食；深泉之魚，死於芳餌。』現在咱們想幹掉吳王，必先投其所好，然後才要得了他的命。」

「哦！此話怎講？」

「我這裡有九條滅吳之策，跟那『獨孤九劍』一般厲害，招招可以擊中吳王死穴。這麼說吧！用這些計策來攻城掠地，簡直就如脫鞋般容易，雖然有幾條陰損了些，但眞的非常實用。」

「陰損？寡人不怕陰損，越陰損越好。對敵人仁慈，就是對自己殘忍，這個道理我明白。」

是呀！如果說句踐心中本來還有道德、人性與尊嚴，怕是從爲夫差嚐糞問疾那一天開始，就徹底丟乾淨、豁出去了。屎都吃了，還有什麼好顧忌的？只要有利於自己的復仇大業，沒什麼不可以。

於是文種道：「好！那臣就一條一條細細解釋。第一，遵奉天地，敬事鬼神，讓天地鬼神幫忙一起收拾吳王。」

「這好辦，寡人立刻在城東立祠以祭陽神東皇公，在城西立祠以祭陰神西王母，在會稽山上祭祀大禹陵，在錢塘江上祭祀水神，這樣可以了吧？」

「可以，太可以了。咱們接著說……」

「第二，用金銀財寶賄賂吳國的君臣，以討其歡心。」

「第三，用高價購買吳國的糧草，以空其糧倉。」

「第四，贈送美女給吳王夫差，以惑其心志。」

「第五，贈送能工巧匠和上等木材，讓吳國興建宮室樓台，消耗財力民力。」

「第六，送重禮給吳國以伯嚭爲首的那些諛臣，以亂其謀略。」

「第七，離間吳國以伍子胥爲首的那些諫臣與吳王之間的關係，迫使他們自殺，以弱其輔。」

「第八，振興經濟，發展軍事科技。」

「第九，訓練軍隊，靜待破吳良機。」

句踐大笑：「妙哉，果然夠陰損，我喜歡！那麼依大夫看，寡人應該先實施哪條計策呢？」

文種說：「臣聽說，吳王夫差正準備大興土木，擴建姑蘇台，缺的就是名山珍木，大王何不幫他一把？」

句踐恍然大悟，忙派三千伐木工深入大山，採伐神木。

不想如此過了一年，伐木隊卻一無所獲。工人思念家鄉、心懷怨恨，集體創作了一首著名詩篇《木客之吟》，每夜歌唱：

朝採木，暮採木，朝朝暮暮入山曲，
窮岩絕壑徒往復，天不生兮地不育，
木客何辜兮，受此勞酷？

或許是淒涼的歌聲感動了山神吧！一天晚上，神仙顯靈了，山上突然長出兩株神木，粗得二十個人都抱不住，足足有四十丈之高，陽面那一棵是有斑紋的梓木，陰面是一棵名貴的楠木。木工們目瞪口呆，直以爲是自己思念家鄉過度，生出了幻覺。

這座神山後來被稱做木客山，山下有個木柵村，距離山陰城十五里，就在今天的紹興婁宮里境內。

越王句踐得此神木，立馬叫匠人精工雕刻成盤龍花紋大柱，抹上丹青，鑲嵌白玉，錯彩鏤金。再命大夫文種出使吳國，送給夫差蓋房子用。

吳王夫差見之大喜，自是照單全收。結果呢，一旁的伍子胥又跑出來跟他唱對台戲了：「從前夏桀建造靈台，商紂建造鹿台，都窮竭民力，導致民不聊生，終於自取滅亡。句踐不安好心，大王，您千萬不能要他那兩塊破木頭。」

夫差當然不會聽這個「祥林嫂」的話，哼！有好處不要，你以爲寡人是傻B呀？來人呀，把這神木運去姑蘇山，給寡人造樓台去！

這時候，伍子胥的話，夫差是一句也聽不進去了。

據《越絕書》記載，實施所謂「滅吳九策」中的第七條「離間計」之前，范蠡曾勸過伍子胥，要他乾脆離開吳國，至少能保住性命。

伍子胥卻回信說：「我當年離開楚國，只拿了一把防身的弓，多虧吳王闔閭仗義收留了我。自古以來，從沒有一位君王像他一樣，施恩為臣子報仇雪恨。由於先王的恩惠，我才獲得如此大的功名，所以儘管知道天命鍾於越國，也不願離開吳國。我永遠不能忘懷先王對我的恩惠，即使頭髮掉光了，牙齒掉完了，還要報答先王，直到生命結束的那一天。」

傻呀！比起范蠡來，伍子胥真的很傻，卻傻得可愛，傻得讓人歎息，傻得讓人流淚。

打這以後，句踐不斷地給吳王送木頭。姑蘇山下太湖邊一個軍港旁，從各地徵集來的木材源源不斷地運將進來，把山下的河道、溝渠都給塞滿了。久而久之，這個港就發展成了一個集鎮，名叫「木瀆鎮」。明朝時，它是三吳六大重鎮之一，如今則成了蘇州鼎鼎有名的旅遊勝地。

姑蘇台可是個大工程。為了修建出前無古人的吳國標誌性建築，夫差先花了三年的時間聚集材料，然後又耗上五年才把這該死的工程完成。據說台子高達三百丈，寬達八十四丈，有九曲路拾級而上，登台遠眺，可飽覽方圓二百里湖光山色和田園風光，其景冠絕江南，聞名於天下。眞是站得高、尿得遠，酷斃了！

姑蘇城那東方之珠的美譽，如今眞是名副其實了。

「明珠」建成之日，吳王夫差登上巍巍高台，極目遠眺，數百里太湖風光盡收眼底，只覺得心曠神怡，魂都要飛上天了，不禁一聲長嘯，朗聲吟道：「遍江南獨我尊，氣凌空將湖海吞，看威行四海聲名振。英豪勇猛，說什麼齊楚？半乾坤皆投順。」

他在台上快活，自戀得一塌糊塗，卻不知道這五年來，吳國人民爲了建姑蘇台，受了多少苦楚。爲滿足一人之歡，不曉得多少人晝夜並作，苦趕工期，有的拋屍在路旁，有的哭泣於巷中，怨憤之聲，遍於全國。

不能完全怪句踐的招數陰損，如果不是夫差自己耽於享樂，不恤民生，旁人就是有再陰損的毒招也使不進去，對吧？

4 服魯

魯國的季康子心思也開始活動了：咱們魯國夾在兩個大國中間，也不是個事兒呀！我得選一個正確的老大投靠才行，萬一站錯隊伍，那就糟糕了！選誰好呢？

夫差不但給了自己五年的時間修築姑蘇台，還給自己立下另一個目標：五年之內搞定北方諸國，正式當上中原霸主。

西元前四八七年，邾國大夫茅夷鴻到吳國請兵的第二年，收到越王句踐送來的兩棵神木後，吳王夫差一面準備大興土木擴建姑蘇台，一面率軍直搗魯國，連克武城（今山東費縣西南，孔子高徒澹台滅明的故鄉）、東陽（今山東平邑縣東陽鎮）等重鎮，魯國大將公賓庚、析朱鉏、公甲叔子同車戰死。吳軍繼續前進，駐軍在泗水之濱，直接威脅國都曲阜，魯人大懼。

三桓之一的孟懿子對魯大夫子服景伯說：「吳兵勢不可當，奈何？」

景伯答：「怎麼辦？打就是了，想那麼多幹什麼？誰叫咱們惹了這瘟神來著。」

魯大夫微虎說：「我有一個主意，趁夜劫寨！這就叫擒賊先擒王，只要把夫差給暗殺了，吳軍自退。」

景伯說道：「暗殺吳王，這可是個危險的活計，說不定要把命賠上，你要考慮清楚。」

微虎笑道：「不入虎穴，焉得虎子。再說本山人自有妙計，你等著瞧吧！」

大家都很好奇，微虎葫蘆裡究竟賣的什麼藥？

答案很快揭曉了。第二天，魯軍校場上舉行了一場別開生面的跳高比賽。微虎從自己的私屬中挑了七百名身強力壯的士卒，要求他們跳過一個兩米高的木柵，每人有三次機會，凡能跳過一次的，就可中選，最後精選了三百名勇士，組成敢死隊，日夜操練。

終於，一個月黑風高殺人夜，敢死隊前去暗殺吳王了。可才剛走出營門，卻有人對季康子說：「吳軍強大，三百名士卒偷營劫寨，等於自投羅網。此舉既無害於吳，又令這麼多赤膽忠心的好同志前去送死，好像不怎麼划算。」

季康子熊了，是啊！萬一暗殺不成，反惹惱吳王，那就糟糕了。遂下令敢死隊停止前進，回營候命。

一個大好計劃就這麼流產了，可惜。

另一方面，吳王夫差卻不知如何得知了魯國的暗殺計劃，嚇得要死，整晚不敢睡覺，一夜換了三個地方，草木皆兵。

其實夫差這個人還眞挺有意思的，窮兵黷武，極其喜歡打仗欺負人，偏偏也怕死得很。他覺得暗殺部隊今晚沒來，不代表明晚不會來，與其擔驚受怕，不如跟魯國和好算了，畢竟小命最重要。

季康子當然求之不得：「那咱們就和好吧！我本來就是個和平主義者來的，萬事和爲貴。」

景伯卻不樂意，覺得這樣做太丟面子：「當年楚莊王圍宋，宋國到了易子而食的地步，尙且不肯做城下之盟，我們現在根本沒吃到啥虧，幹嘛要投降？我不同意。」

季康子不聽，本大人的安全第一。景伯無奈，只好帶著盟書去找吳王夫差談判。

這回跟上次不同，夫差的態度明顯和緩了很多，答應退兵，條件是景伯必須作爲人質，跟自己去吳國，以保證魯國的敢死隊不會出爾反爾，再來攻擊自己。

夫差色厲內荏，聰明的景伯怎麼會看不出來？微微一笑，從容道：「要我做人質也可以，但你們吳國也要留一個人質下來，以示公平。這樣好了，你們就把王子姑曹留下來，作爲交換，如何？」

什麼？你們居然要寡人的寶貝兒子留在魯國做人質，這怎麼行？我可捨不得！

夫差當即大怒：「大膽，竟敢跟寡人提條件！你算個什麼東西？怎麼能和寡人的愛子相提並論？」

景伯笑道：「既然如此，那咱們還有啥好談的？戰場上見吧！」

夫差慌忙道：「別！別！別！寡人不過說說而已，其實也沒有一定要大夫您當人質。咱們兩國都是講信用的人，要什麼人質呀？多傷感情！不要了，我們都不要對方的人質，這樣行了吧？」

就這樣，雙方在「友好」的氣氛下締結了盟約，史稱吳魯萊門之約。夫差對山東半島的第二次試探性進攻，就這樣不了了之了。

其實，吳國的軍事力量不知比魯國強上多少倍，爲什麼老是討不了啥好呢？歸根究柢，關鍵原因就在吳國沒啥外交人才，嘴皮子功夫太差。

夫差去兩次魯國，兩次丟面子，霸主的威風掃地，當然很不服氣，琢磨著要找個機會再去教訓魯國一次，挽回顏面。

事情巧了，就在這個當口，齊國又和魯國鬧矛盾了。

齊悼公的老婆、魯國第一美女季姬，乃是季康子的妹妹。夫妻吵嘴，季姬一怒之下跑回了娘家不說，還在娘家到處搞外遇，給齊悼公戴綠帽子。這還得了？悼公很生氣，後果很嚴重。這一年五月，齊國派出大將鮑牧領兵攻打魯國，一路勢如破竹，接連攻佔了、闡二地，並派人來到吳國，要求友情贊助。夫差當然答應。

魯國這下子徹底慌神了，一個都打不贏，現在兩個一起來，我們不是死定了？趕快先把吳國的小弟邾隱公放了，然後把季姬送還齊國，一個勁地賠禮道歉，請求兩位老大高抬貴手。

季姬果眞是個大美人，就算出軌，回到齊國後依然獲得多情種子齊悼公的寵愛。邾隱公的運氣就沒那麼好了，因爲在國難期間表現差勁而被唾棄，吳王夫差索性將他趕下台，軟禁在宮內，讓大夫們侍奉邾太子革執政。

齊悼公和魯國的矛盾本來就是家庭糾紛，沒啥大不了的，很快就同意了魯國的求和請求，雙方締結盟約，算是捐棄前嫌、同歸於好。季康子便趁機要求妹夫齊悼公當和事佬，勸吳國人退兵。

第二年，也就是吳王夫差十年（西元前四八六年）春天，齊悼公派出使臣孟綽代表自己去吳國當和事佬，說：「現在魯國已經知道錯了，咱們就跟它和好吧！大家都是周天子的臣子，有啥矛盾也是人民內部矛盾，君王您就當賣兄弟一個面子，不要再找魯國麻煩了。」

夫差大怒，好哇！你們這些中原人，居然將寡人當猴耍！一拍桌子，大吼：「寡人給你們面子，誰給寡人面子？媽的！叫我打我就打，叫我別打我就不打，我們吳國難道是你們齊國的小弟？」

「不是，我們不是這個意思。」

「別說了，你回去告訴你們老大，我夫差這就去你們齊國，好好地問一下他，究竟誰是誰的小弟？」

夫差表面上很生氣，其實肚子裡不知多開心。太好了！我正愁沒藉口弄你齊國，你們倒自己找上門來了，哈哈哈！

他明白得很，自己在中原眞正的對手是齊晉，弱魯不足爲懼。之所以一直找魯國麻煩，只因爲它恰好擋在了北進的路上，如此而已。齊悼公也眞夠衰的，好不容易把老婆找了回來，卻也順便招了隻狼來，這不是倒楣催的嗎？

夫差把矛頭指向了東方霸主齊國，但齊國畢竟不比魯國，沒有那麼好對付，而且把戰線拉到千里之外，軍隊的運輸和補給都將成問題。

原先北上稱霸所走的道路，是先由長江出發到達東海，再從海上繞入淮河，但這不僅航程過長，而且時常會有風浪，充滿了危險。夫差因而決定在擴建姑蘇台的同時，不顧國人的承受能力，廣征民工，在今天揚州市西北角蜀岡一帶，建起一座周長約十八里的大城，是為邗城，當作軍事基地。不僅如此，還開鑿邗溝，利用江淮地域的眾多湖泊，從揚州到淮安，挖出一條長達一百五十公里、貫通江淮的運河，作為運送物資和軍隊的通道。這是中國，也是全世界，有確切穿鑿記錄的第一條大型運河。

工程從西元前四八六年秋天破土動工，一直到第三年夏天才完工，給吳國百姓造成了巨大的痛苦。不過，從歷史角度來看，邗溝溝通了東部沿海的水上運輸，為後人修建京杭大運河奠定了基礎，更使江蘇北部揚州地區日益繁榮，逐漸成為南方一大經濟重鎮。夫差雖然窮兵黷武，但在客觀上造福後世，功不可沒。

魯國的季康子眼見著吳國大興土木，一副不搞定齊國誓不干休的樣子，心思也開始活動了：咱們魯國夾在兩個大國中間，今天你打我一下，明天他打我一下，也不是個事兒呀！我得選一個正確的老大投靠才行，萬一站錯隊伍，那就糟糕了！

選誰好呢？這是一個問題。

還是選吳國好了，他們人傻、錢多，比較好忽悠。

恰好這時候，邾隱公不知使了什麼陰謀詭計逃出邾國，投奔到齊國——他原是齊悼公的外甥。夫差聞訊大怒，不等邗溝完工，親率大軍遠征齊國。魯國季康子和邾太子革見機不可失，趕忙率兵去跟吳軍會合，拜見新認老大。

魯、邾的徹底臣服，標誌著夫差的中原霸業正式走向輝煌，終於開始收小弟了。

這一年是吳王夫差十一年（西元前四八五年）。

這前一年，佛教創始人釋迦牟尼去世。另外一個偉大人物波斯大帝大流士一世也在鎮壓埃及起義的途中染上重病，帶著滿腔的仇恨與野心離開人世，有生之年沒能收服希臘，是他一生最大的遺憾。

吳、魯、郳三國聯軍出兵攻打齊國南郊，多情種子齊悼公外交政策失敗，遭到群臣非議，齊五大家族中的田、鮑二族趁機聯合起來以毒酒弒殺，另立悼公之子壬爲君，是爲齊簡公。夫差接到訃告後，在軍門外號哭三天，以示哀悼。

哭歸哭，戲演好了，仗當然還是要打。他一面假惺惺地裝好人，一面偷偷派出一支海軍繞道去攻打齊國東部沿海，結果反被人家的水師打了個埋伏，狼狽撤回。

偷襲不成，又怕待久了給養跟不上，夫差遂藉口齊國有喪事，自己不能乘人之危的爛理由退兵，回去接著挖運河。

5 春秋第一美人

范蠡帶著兩個美女回到越都的消息，立馬傳遍大街小巷，一時之間，山陰城萬人空巷，道路為之壅塞，當中不僅有越國人，還有從各國慕名遠道而來的「觀光客」……

當吳王夫差雄心勃勃挖水溝的時候，越王句踐又開始琢磨如何用「獨孤九劍」中的另一招來算計吳國了。

越王句踐十二年（西元前四八五年）二月，他找來大夫文種和范蠡，商量如何對夫差實施美人計。

「文大夫，你的滅吳九策果然很有用，如今吳國爲了擴建姑蘇台，搞得民不聊生。寡人以爲，咱們應該進一步擴大戰果，使用美人計，使吳王沉迷在聲色犬馬之中，無法自拔。你們以爲如何？」

「我看行。不過，要送就要送最美的。非有絕色，無法徹底迷亂夫差的心志。」

「大夫言之有理，兵在精不在多，美女也是如此，一個眞正的絕色美女，無異於千軍萬馬。咱們可不能像從前那樣，隨便挑幾個普通貨色送去。一定要在民間搜尋出第一美女，讓吳王夫差徹底腳軟。」

這時候，范蠡自告奮勇道：「大王，咱們就這麼大張旗鼓地在國內選美，恐怕會招來國人非議。臣自少師從計神仙，對相術頗有研究，不如讓微臣算上一卦，選準方位，然後沿途親自探訪，大王以爲如何？」

句踐點頭道：「好吧！范大夫相術通神，眼光奇準，定能爲寡人尋得一個絕色美女，這件事就拜託你了。寡人有預感，天下間亙古未有的驚人絕色，馬上就要降臨人間了。」

范蠡大喜，自己整天處理公務，都快悶出鳥來了，如今接到一個如此香艷的任務，正好可以趁機放鬆一下，說不定還會碰上艷遇什麼的。

水墨江南，早春三月，正是梅子細雨的時節，連綿數日的小雨，緊一陣、密一陣，把天上地下都淋得濕漉漉的。

范蠡打著一把油紙傘，走在濕漉漉的山道上，心情悠遠而綿長。雨漸漸停了，天已大亮，旭日初升，晴光曉風中，遠處山上苧麻蒼翠，葛蘿片片，滿目一夜透雨就要晴霽的江南景色。

不知不覺間，他來到了位在諸暨城南一公里處的苧蘿山。山道的左側，流淌著一條小溪，因源出越國故都平陽的若耶山，而被稱做若耶溪（今稱平水江），相傳曾是大師歐冶子的鑄劍之處。

落花流水，伴著蕩漾的春風，輕輕淌過范蠡佈滿塵埃的心房，讓他一時間彷彿忘記現實中所有的一切，仇恨、廝殺、陰謀、詭計……

轉過山腳，突然一愣，眼前出現一個驚世絕艷的麗影。

這是怎樣的一個女子呀！她的眼睛比這溪水還要明亮，還要清澈；她的皮膚比天上的白雲還要柔和，還要溫軟；她的嘴唇比溪畔朵朵小紅花的花瓣還要嬌嫩，還要鮮艷……她站在水邊，倒影映在清澈的若耶溪中，溪邊的鮮花羞慚得都枯萎了，魚兒不敢在水裡游，統統沉往水底，生怕弄亂了她美麗的倒影。

她白雪一般的手伸到溪水裡，浣起一匹淺綠的輕紗，吹彈得破的肌膚，柔和得好像要和輕紗一齊溶在溫柔的流水裡……

正這時，那女子輕啓朱唇，柔聲唱起歌來：

綠水全開鏡，清溪獨浣紗。波冷濺芹芽，濕裙釵，嬌羞誰訝。弄得懨懨春倦，不覺髻兒斜。唱一聲水紅花也。

——明・梁晨魚《浣紗記》

一曲聽罷，范蠡只覺飛聲流轉，餘韻飄揚，雖無半點絲竹之音，卻如仙樂飄飄，好似來到瓊瑤勝景中。

他徹底癡了，這世間的美女也看過不少，秦國的第一美女孟嬴、齊國的第一美女少姜、魯國第一美女季姬，都是天姿國色，美艷絕倫，可是拿來和這女子一比，統統成了庸脂俗粉、醜姑野婦。

就算是妲己再世、褒姒重生，看到她，恐怕也要自慚形穢。怎麼說呢？那一抹獨特的清麗，有著一股能讓世間萬物均爲之癡狂的超凡氣質，那是一種不食人間煙火的美。如此完美的女子，根本就不需要任何外物的修飾，即便是最好的化妝品，也只會破壞她的美麗，破壞世間的造化神奇。

這應該就是我要找的美女了吧！吳王夫差見了這個女子，恐怕要連自己姓什麼都忘了。只是……只是……這等美人，偏偏要拿去送給夫差這臭小子，可惜！太可惜了！

范蠡正要上前搭訕，那女子卻將輕紗放進籃中，站起身來，手捧著心，蹙起雙蛾，一副痛苦的模樣。

范蠡又癡了，美女就是美女，連捧心都這麼動人，我暈了！

正暈著呢，一群村女挎著竹籃，說笑著從遠處走了過來，見范蠡傻傻的樣子，忍不住掩嘴直樂：「西施妹妹，快來瞧，這裡有個傻書生在偷看妳呢！」

范蠡醒過神來，忙道：「不要胡說！我哪裡在偷看？別冤枉好人！」

西施轉過身來，回眸一笑百媚生：「小女子見過先生。」

范蠡摸頭道：「在下乃是越國大夫范蠡，敢問姑娘芳名？」

「小女子姓施，名夷光，因住在這山上西村，故大家都叫我西施。」

旁邊一個奇醜無比、臉上還有點鬍子的村婦插嘴道：「原來是個大官來的！我也姓施，名如花，因住在這山上東村，所以又叫東施。我和西施情同姐妹，故大家都稱我們爲施家雙艷。」說著也捧著心，皺起眉頭，扭動水桶腰道：「不過，我比西施妹妹還是要稍微差那麼一點，你看西施妹妹，伊一心痛，就捧著個心兒，皺著個眉兒，歪著個腰兒麼，這樣扭啊扭、扭啊扭，啊喲好看哉！」

衆村女大笑，范蠡狂暈，這哪裡是差一點？簡直就是醜到爆！我今天還眞是開了眼界，一日之內連遇天下第一美女和天下第一醜女，老天爺，你不要這麼刺激人好不好？再這樣下去，我也要犯心疼病了。

東施如花不開心了：「笑啥？我學得蠻像咯！西施妹妹因害心疼，鼻子上皺起來，有些疙瘩，覺得益發嬌媚。我如今鼻子上想是也有些疙瘩，不知比著她的如何？」

西施笑道：「不要瞎講，我捧心皺眉有啥好看的？」

范蠡忙道：「非也非也，姑娘天姿國色，一顰、一笑、一捧心、一皺眉，都是千嬌百媚，愛煞人哉！」

東施聞聽此話，忙放大動作，狂皺眉頭：「就是就是……哎喲！哎喲！大夫你看，我心痛起來也蠻好看的。」

范蠡徹底無語了，世上怎麼會有如此噁心的女人？

西施卻笑道：「是呀！妳本來就不差。」

東施大喜：「那麼我就勿謙虛哉！」

范蠡再也無法繼續忍受下去了，連忙轉移話題說正事：「姑娘，我此次微服出行，爲的是給吳王夫差選一美女，以迷惑其心志，使其沉迷於聲色犬馬之中，助我越國報十年前的會稽之恥。姑娘天姿國色，正是上上人選，不知妳可願爲了國家、爲了百姓，犧牲自己，辛苦一趟？」

西施萬萬沒有想到，自己一個山野弱女子，還沒來得及享受愛情的甜蜜，就要被推上了兇險無比的政治舞台，擔負起如此重要的任務，一下子愣了。

范蠡又道：「國家有難，匹夫有責。如今吳強越弱，要打敗這個大仇敵，談何容易？好在那夫差乃是酒色之徒，越國要雪恨，縱有千軍萬馬，也難比姑娘絕色。」

西施心亂如麻，遲疑道：「大夫說得沒錯，國家有難，匹夫有責。只是小女子不過一浣紗之女，怎敢服侍吳王？」

一旁的東施如花跳出來，自告奮勇道：「西施妹妹不想去，我去！我願意犧牲自己！」

范蠡終於怒了：「妳去？妳去，不把我們越國的臉全丟光！回家好好照照鏡子！」

東施嚇了一跳，掩面淚奔。

西施大叫：「東施姐姐！東施姐姐……」說著就要追上去。

范蠡趕忙一把拉住，她回身怒道：「范大夫，東施姐姐一片報國之心，你不答應也就算了，何必羞辱她？」

范蠡竟然跪了下來：「西施姑娘，是我說話太重，但是我著急呀！越國的前途就在妳一念之間，請一定要答應我，求妳了！」

西施愣了，一國大臣，居然就這麼直挺挺地跪在自己面前。男兒膝下有黃金，不答應他，於心何忍？

「西施姑娘，妳要是不答應，我范蠡就跪在這溪邊，永遠不起來。」

西施心軟了，含淚點頭。

唉！我的命怎麼這麼苦啊！難道人長得美，也是一種錯？

就這樣，經過一番尋訪，范蠡找來了兩個絕色美女，一個就是春秋第一美人西施，另一個名字叫做鄭旦。

這個鄭旦也絕美無比，遠勝孟嬴、少姜等人，但跟西施站在一起，就好像她的丫鬟一般，被比了下去。

范蠡帶著兩個美女就要回到越都的消息，立馬傳遍越國大街小巷，甚至還傳到遙遠的晉、楚、秦、齊等國，一時間，山陰城萬人空巷，道路爲之壅塞，當中不僅有越國人，還有從各國慕名遠道而來的「觀光客」，只盼見美人一面。

一連數天，越國賓館爆滿，住宿費狂漲。這一次旅遊收入，實不亞於舉辦奧運會。而與此同時的古希臘，確實在每四年舉辦一次奧林匹克運動會。

終於，他們回都的日子到了。

山陰城內外人山人海，賣小吃的、賣飲料的、賣報紙的、賣椅子的、賣手工藝品的，穿梭在人群之中，統統賺了個滿盤滿缽。

句踐滿意地頷首笑道：「沒想到寡人此番選美，竟然大大地刺激了本國經濟。文大夫，要不是你在網上賣力炒作，怎會收到如此良效？寡人要給你記頭功！當然，星探范大夫的功勞也不小。」

遠遠地，美人的華車近了，大家爭先恐後地往前擁，數百個保安攔都攔不住。可等千辛萬苦擠到近前，卻發現華車四面重帷，根本就看不到美人長啥樣子，只有兩個淡淡的倩影，撓得人心癢難耐。

不斷有人高喊：「西施，我愛妳！我們永遠支持妳！」

城樓之上，句踐正在接受周朝電視台的採訪。

「觀眾朋友們大家好，我是周朝電視台《每日新聞》節目的外景主持人小姬，現在我們在越國山陰城的城樓上，共同見證天下第一美女的出現。從現場可以看到，無數的粉絲在城下尖叫，場面極其混亂。讓我們先來採訪一下此次活動的主辦方，越國國君句踐先生。句踐先生，這次你們在網上放消息說發現了天下第一大美女，請問是眞的嗎？您眞能肯定這位西施小姐是天下第一美女嗎？很多人都說這是炒作，您怎麼看？」

句踐義正詞嚴地說道：「胡說！這是對越國的污蔑。我句踐身爲一國之君，君無戲言，怎麼會胡亂發表言論呢？西施小姐的照片我看過了，寡人可以用越國的前途發誓，絕對是個曠古未有的絕世美女。現在我很期待與西施小姐的面談，我相信，她絕對不會讓寡人失望。至於有人說我們是炒作，那就當我們是炒作好了，如今這個時代，好東西就是要拿來炒作，才能讓更多的人知道它的好、欣賞它的好。這，就是舉辦此次活動的最終目的。」

「您說得太好了！不過，作爲一個記者，我還想問您一個問題：爲什麼要在美人的華車上裝上帷幔，不讓大家看到她們的眞容呢？這，不會是又在炒作吧？」

「是這樣的，有鑑於觀衆和粉絲的人數太多，寡人特意吩咐工作人員在車上裝上帷幔，以避免引起騷動和踩踏。如果大家確實想一睹美人芳容，可以發簡訊到螢幕下方的這幾個號碼，我們將抽取五千名幸運觀衆，分三天輪番去西施小姐下榻的賓館作客，參加精心準備的粉絲見面會，到時還有西施小姐親自浣的紗以及親筆簽名照片等精美禮品贈送，敬請期待。」

「謝謝句踐先生解答這個大家都想知道的疑問。最後我還有一個問題：聽說您這次如此辛苦尋找美女，是爲了將她們送給吳國的領導人夫差先生，是這樣嗎？」

「是的，爲了促進吳越兩國的睦鄰友好關係，爲了祝願我們的偉大領袖夫差先生健康長壽，寡人特意挑選了這兩個美女。期望她們的侍奉，能讓夫差先生燃起更飽滿的熱情，投身到吳國偉大的稱霸事業中去。這，就是我身爲一個臣屬之邦的國君，竭盡忠誠，報效吳國的明證！」

「謝謝句踐先生接受採訪。透過此次採訪，不難看出，句踐先生確實是一個誠實、厚道、忠心耿耿、有經濟頭腦的人。這樣的人，應該作爲所有周朝人民學習的榜樣。好！問題就提到這兒，請導播把畫面切回到主演播室。我們的主持人將請特別嘉賓孔丘先生以及子貢先生兩位，對吳越關係問題做進一步的分析與討論……」

總算，句踐見到了傳說中的天下第一美女，不由當場歎道，「造化神奇，竟以至於斯乎！」忍不住走下朝堂。

西施道：「小女子只恐性質凡庸，容顏粗醜，不足以負君王之望。」

范蠡在旁道：「姑娘要是容顏粗醜，那這世間就沒有可看的女子了。姑娘不但容貌天下無雙，此等愛國情操也讓世間女子汗顏。爲了大王，爲了越國，苦了妳了。」

句踐也道：「正是。古之美女，莫過於妲己、褒姒，可此二人均是紅顏禍水，怎可與姑娘這等女中豪傑相提並論？如此，美人請上，受寡人一拜！」

老大開始演戲了，大臣們當然要配合，堂下諸大臣齊聲道：「我等身爲人臣，不能爲國解憂，惶愧難當。美人，也請受吾等一拜！」

范蠡插嘴道：「且慢！美人此去非比尋常，將似將帥領兵殺敵。古人征戰求帥，有築台拜將之禮，大王何不在此宮內，率領群臣大禮參拜，以慰西施之心？」

句踐心想，沒錯，這戲要演，就得演足，范蠡果然深得我心。於是點頭道：「范大夫言之有理。」

西施一看，不行啊！連忙推辭道：「大王，小女子乃一村野裙釵，怎敢受此大禮參拜？」

句踐道：「美人此去身負重任，興越滅吳在此一舉，理受參拜。」

其他人一起攛掇：「是啊！不必推辭。」

句踐走到西施面前，親自施禮道：「請美人登階。」

西施心想，算了！大家演得這麼起勁，我要是再拒絕就不好玩了。乖乖整衣正髮，鄭重其事地走上台階。

站定之後，但見台下已然黑壓壓拜倒了一片：「美人辛苦了！」

西施正色道：「夷光理所應當，列位大人不必多禮。」說完，無奈苦笑。

美人一笑，迷倒眾生，所有人都看得癡了。

句踐惱恨地一捶牆，該死的夫差！沒想到寡人竟要忍痛割愛送給你如此艷福！算了，待我破吳之日，你所有的東西都是我句踐的，西施自然也將是我的，哼！

是的，就算是爲了搶回西施，他也要儘早滅掉吳國，這個世界上沒有任何東西能阻擋他的決心。

之後，經紀人范蠡帶著西施和鄭旦來到山陰城東五里處的土城（今紹興城區紹興鋼鐵廠內，後稱美人宮，亦名西施山），派專業老師教導她們歌舞和宮廷禮儀。待三年之後，學有所成，這才親自護送二位女星前往姑蘇發展。

這三年，也是范蠡獨自暗戀西施的三年。

這也難怪了，他再厲害，也是個男人，只要是男人，就無法抵擋美色的誘惑，更何況是西施這樣最高級別的美色呢？范蠡不是同性戀，也不是清教徒，他內心的激情，火著呢！

前去往姑蘇的路上，他終於忍受不住內心的煎熬，決定監守自盜，向西施表白。

「夷光呀夷光，妳問我愛妳有多深，月亮代表我的心。」

「眞的嗎？」

「當然是眞的，悠悠我心，天地可以爲證。」

「既然如此，你可願意帶我私奔，不再去管兩國的恩恩怨怨？」

「這個……」范蠡猶豫了。我功名未建，壯志未酬，這個當口要是和西施私奔了，不就啥都沒有了嗎？

西施淺淺地笑著，等待他的回答。

「這個，這可不行。我倆身繫越國安危，怎可在這關鍵時刻撂挑子呢？再說我們還跟公司簽了合同，毀約可是要賠錢的。這樣吧！我答應妳，待越興吳滅，天下太平之時，我定當接妳返越，然後盡拋名利，與妳周遊列國，泛舟於五湖之上，再也不去管那塵世間的破事兒了。如何？」

西施笑道：「我早就猜到你會這麼說了。你的提議不錯，不過，很可惜，我對你沒興趣。」

「什麼？」范蠡呆了。自己才華橫溢，風流倜儻，人稱江南第一才子，天下間不知有多少女子崇拜愛慕，如癡如狂。這個西施，居然說對自己沒興趣！我沒有聽錯吧？

范蠡還要問明白些，西施卻已回到了房裡，將他一個人空落落地留在門外。看著緊閉的門，他只覺得心口像是中了好幾枝利箭，忍不住也捧心蹙眉起來，不斷自我安慰說：西施只是害羞，所以不敢跟我說實話，一定是這樣，一定是這樣……

西施到底愛不愛范蠡，史書上沒有記載，我們無法詳知。倒是有很多八卦雜誌（如唐代的《吳地記》）說兩人如何如何偷情，後來還在去吳國的路上偷偷生了個兒子，到達現今嘉興南部一百里處（即吳越第一次大戰的那個檇李）時，這個嬰兒剛滿周歲，已能夠開口說話，於是路邊的亭子被當地民眾叫做「語兒亭」，以見證這段秘密愛情的結晶。

依我看，這個千古八卦舊聞真的很「白目」。吳王夫差不是傻子，送來的美人有沒有懷過孕，難道分辨不出來？范蠡也不是個傻子，怎會送一個生過孩子的女人給吳王？這不是自尋死路是什麼？

根據《越絕書》的記載，「語兒亭」其實是句踐夫人產女的地方。

當初，越王句踐和夫人去往吳國為奴，行至檇李時，句踐夫人早產，就在路邊的一個亭子裡生下一個女兒。這個小嬰兒當然不能帶到吳國去，他們只好將她寄養在當地一個農戶家中。句踐滅吳後，在這裡尋回自己的女兒，遂將亭子命名為「女陽亭」，而將此處更名為「語兒鄉」。

中國人最喜歡添油加醋地講故事了，這個傳說傳來傳去，到了唐朝，居然被人移花接木到范蠡和西施的身上，演繹成一段浪漫愛情。

不過，我覺得這故事一點兒都不浪漫。拜託！將自己心愛的女人送給仇敵，到底有哪一點浪漫？

6 春秋第一名嘴

子貢不費一兵一卒，只靠一張獨一無二的嘴巴，存魯、亂齊、破吳、強晉而霸越，讓春秋時代最後十年局勢來了個大洗牌，並將自己推上第一辯士的神壇。

西施到達吳國的這一年，是西元前四八三年。這之前，在夫差的身上又發生了好多事情。

吳王夫差十二年（西元前四八四年）春，邗溝這條江淮大運河終於正式竣工，夫差又賊心不死想揍人了，心心念念要當霸主，計劃幹掉齊國後，還要接著弄晉國。讓全天下都臣服在他的腳下，是他一輩子的夢想。

與此同時，齊國的權臣田常（陳成子）也蠢蠢欲動，攛掇齊簡公派兵攻魯，以報去年魯國聯吳攻齊之仇。

不過，田常並不是眞的非要跟魯國過不去，只是若想獨霸齊國，就要先除去高、國、鮑、晏等四大家族，攻打魯國正是消耗他們實力的最好方法。

這時候，由於高徒子貢和冉求在魯國當官表現優秀，孔子也被季康子從衛國請了回來，當高級顧問。

齊國大兵壓境，魯國危如累卵。

季康子和魯哀公全傻了，只好找孔子幫忙。他們想著，這幾年魯國朝齊暮吳，外交政策搖擺不定，導致連年被扁，一定要想個萬全之策來徹底解決這個問題才行。你孔老夫子不是一直說自己比大家都行嗎？這個燙手的山芋就交給你好了，搞得好皆大歡喜，搞得不好也是你丟面子。

孔子雖號稱聖人，但面對這一棘手問題也是一籌莫展，好在孔門弟子衆多，能人輩出，有集體智慧的優勢。他將自己的七十二高徒召集起來開會，說：「魯國，是祖宗陵寢的所在，也是我們出生的地方。現在，魯國到了最危險的時候，諸位，爲了偉大的祖國，爲了孔門的榮譽，請大家站起來，挺身而出。如果你們不挺身，我這糟老頭子就自己挺身了。」

子路舉手：「我！我要挺身！」

子曰：「坐下！你不行！」

子路不服氣，跑到一旁做起了伏地挺身，孔子不理。

子張、子石又舉手：「我去！讓我去吧！」

子曰：「坐下！坐下！你們也不行！」

子貢笑：「老師，還是我去吧！」

孔子笑問：「哦！你有何能？說來聽聽。」

子貢答：「吾得素衣縞冠，使於兩國之間，不持尺寸之兵，升斗之糧，可使兩國相親如兄弟。」

「還有呢？」

「兩國構難，壯士列陣，塵埃漲天，吾不持一尺之兵，一斗之糧，解兩國之難，用吾者存，不用吾者亡。」

孔子滿意地點頭道：「子貢利口巧辭，辯才賢於某也。只有你去，我才放心。」

子貢就這樣從魯國出發了，沒帶一兵一卒，車馬獨自奔馳在前往齊國的道路上，塵土飛揚，身影慢慢模糊，從送行人的視野中緩緩淡去。此時此刻，沒有人相信，他這一去，天下形勢將為之大變。

沒錯！就憑子貢一個人、一張嘴，齊魯晉吳越五個國家的命運即將改變，從而使中國歷史在春秋戰國之交的關鍵時刻遽然轉彎。

這時，唯有子貢明白，天下的歷史將由自己改寫。在紛亂複雜、群雄並起的時代，並不只有橫刀立馬的勇將能成爲英雄，舌燦蓮花的辯士一樣可以保家衛國、彪炳千秋。這一點，他有絕對的自信。

子貢的車馬抵達齊都臨淄的時候，魯國傳來消息說，師兄冉求指揮著部隊用矛陣打敗了齊國的第一波進攻，斬獲齊軍甲士首級八十。要不是膽小的季康子下令停止追擊，齊國人將會遭受更大的損失。

好一個冉求！不愧同爲孔夫子的得意高徒，爲他爭取了無比寶貴的時間。

子貢拜見田常：「魯國是個難以攻打的國家，相國卻要攻打它，這是大錯特錯。」

田常冷笑，我還以爲子貢號稱魯國第一辯士有多厲害，原來也只會說這一套沒創意的東東。魯國國小民弱，現在只不過剛占到點小便宜，有啥好跩的？想用這套陳詞濫調說服我退兵，還是儘早滾蛋吧！

子貢見田常一副不耐煩的樣子，微微一笑，接著說：「魯國爲什麼難以攻打呢？因爲城牆又破又矮，護城河又窄又淺，國君又蠢又笨，大臣又傻又呆，士兵又弱又差，眞的太難攻打了！我看您不如去攻打吳國，吳國的城牆又高又厚，護城河又寬又深，士兵又精又銳，裝備又強又足，大臣又賢又明，這才是個容易攻打的國家。跟這樣的國家打仗也更有意思，您說是不是？」

田常又好氣又好笑，不會吧！原來子貢是個弱智。難不成是被我們齊國的大軍嚇傻了？他一拍桌子，吹鬍子瞪眼：「是你個頭！你以爲本大人跟你一樣傻嗎？什麼鬼邏輯？胡說八道，不知所云！」

子貢笑道：「別急呀！聽我解釋。我聽說你三次受封都未能如願，就是因爲朝中有大臣反對你。是不是國、高、鮑、晏四大家族從中作梗呀？」

田常臉色頓時一變，被子貢說中了心事，四大家族是他心中永遠的痛。

子貢見他不吱聲，繼續道：「我明白，你想靠攻打魯國來消耗四大家族的實力。可是魯國太弱，齊國若勝，四大家族不但毫髮無損，還會恃功坐大，把你架空。到時，別說要成大事，你就算想保住性命都難。」

田常臉色大變，急道：「那照你說，我該怎麼辦呢？」

子貢道：「好辦。就像我之前說的，捨魯攻吳！吳國之強，天下皆知，齊國若敗，四大家族的勢力必定被淘空。如此，國內上沒有強臣對抗，下沒有百姓非難，能夠孤立國君，控制齊國的，只有你了。」

好毒的一招！爲了保存魯國，子貢不惜將齊國的百姓置於戰亂和兵燹之中，這就是孔子所謂的「仁」嗎？看來他完全是縱橫家做派，所謂的儒家，不過是個幌子。

田常哈哈笑道：「高！實在是高！好一個借刀殺人的妙計，如此一來，四大家族必定損失慘重……可是，軍隊已經開到魯國了，現在從撤軍轉而進攻吳國，四大家族的人不傻，肯定會懷疑我的。」

「這好辦，您先按兵不動，我幫你去找吳國來攻打齊國，這樣不就沒您的事了？」

「好，就這麼辦！先生長途跋涉辛苦了，這是一點小意思，且當路費，不成敬意，請您笑納。」

當然笑納，敵國的錢，不拿白不拿。

子貢的車馬又奔向吳國。

見到了吳王夫差，他說：「向齊國發動攻擊，解救魯國的危難吧！您的威名將在華夏大地傳頌，天下都將臣服在您的腳下。」

夫差沒有說話，他在猶豫。

這些天來，越王句踐臥薪嚐膽的事情傳到了吳國，讓他有些擔心。這傢伙表面上忠心耿耿，暗地裡不會想著背叛自己吧？雖然他自認爲小小的越國成不了大氣候，但防人之心不可無。當初一時衝動放了他，會不會眞的錯了？

子貢大概猜到了夫差的想法，於是問：「君王莫非是在擔心越國？」

「是啊！寡人何嘗不想伐齊救魯、北上稱霸，只是越國始終是個心腹大患。你的建議，還是待寡人平定越國後再說吧！」

子貢心想，別呀！等你搞定越國，魯國早玩完兒了，不行，我要加把勁，再好好忽悠你一下。

他又問：「君王，您認爲齊、魯、越三國，孰強孰弱？」

「這個問題簡單，齊國最強，魯國次之，越國最弱。」

「這就對了！既然越國最弱，你爲何要攻打最弱小的，而害怕最強大的國家呢？這是不勇敢的表現。一個不勇敢的國君，如何能被天下尊爲霸主？」

夫差最討厭別人說他不勇敢了。誰不勇敢了，你才不勇敢呢！你不勇敢，你全家人都不勇敢！

「那你說，寡人該怎麼辦？」

「您應該保存最弱小的越國以顯示仁德，救援次弱小的魯國以顯示恩義，攻打最強的齊國以顯示強大，這樣才能威服晉楚等大國、臣服鄭宋等小國，做到眞正的『霸道』，成爲各國諸侯所敬仰的好霸主。如果君王還是對越國不放心，子貢願意爲您去走一遭，讓句踐派軍隊隨您一起北上，一方面使您有面子，一方面讓越國空虛，無法危害吳國，如何？」

夫差大喜道：「高！實在是高！好一個兩全其美的妙計！不愧是孔老夫子的高徒，果然厲害。那就勞煩先生辛苦一趟了，這一點小意思，且當路費，不成敬意，請您笑納。」

當然笑納，白癡的錢，不拿白不拿。

子貢的車馬很快抵達了越國。

句踐聽說孔子高徒、國際名人到訪，大喜，連忙命人清掃道路，親自到郊外迎接，並親自駕車把人送到了賓館，好酒好菜招待。

子貢的隨從個個兒開心得緊，越國果然是個鄉下地方，沒碰過啥高人，一見到咱們先生就屁顛屁顛地跑來迎接，傻傻的、土土的，完全沒見過世面。

子貢的心情卻不輕鬆，句踐果然如預想般低調。這種情況下，夾起尾巴做人的確是最明智的選擇。此人看似木訥，其實深不可測，絕對是當今天下最危險的一個人物，一定要小心應付。

酒宴正歡，句踐突然發現子貢臉上落下幾滴鱷魚的眼淚，忙問：「先生屈尊駕臨我這個鄉下地方，是不是覺得我們招待不周，所以生氣了？如果真是這樣，就請原諒寡人吧，咱們越國窮呀！」

沒想到子貢聽了，更加傷心：「我……我哭不是因爲君王您招待不周……而是在同情您的遭遇。您知道嗎？你們越國就要完蛋了！」

句踐一見對方如此會演戲，頓時惺惺相惜之情氾濫。好哇！寡人終於碰到一個可敬的對手了。就讓我們好好切磋較量一下，共飆演技吧！

他連忙跪地叩首，拜了兩拜，抬起頭，亮出絕招——標誌性的深情眼神，無比誠懇地說：「寡人聽說，禍與福是相互依存的，先生特地跑來哀悼，這就是我的福分，說明我還有救。先生有何指教？快點說吧！」

子貢暗嘆了一聲好演技，繼續道：「是這樣的，我近來見了吳王一面，勸他伐齊救魯、北上稱霸，可他卻說要先平定了越國再說，所以我趕緊跑來見你最後一面，怕遲了就見不著了。」

句踐當即叩頭如搗蒜，可憐巴巴地說：「我句踐幼年喪母，少年喪父，缺乏管教，所以不自量力而得罪吳王。結果仗打輸了，臉也丟光了，寡人自問無顏面對江東父老，只好逃出都城，跑到山海之間，每天與魚鱉爲伴，靜思己過。寡人如此老實，吳王何以就是不肯放過我呢？」

子貢暗笑，別裝了，你心心念念想要報仇，以爲我看不出來？戲演到這會兒也就差不多了，再演下去就不好玩啦！

「你呀你呀！想報仇就得偷偷地來，怎麼能被仇人發現呢？如今弄成這樣，叫我怎麼說你好呢？」

句踐聽罷，頓時明白子貢已然洞悉了自己的一切想法，再裝下去就不上道了，尷尬地一笑，坐起身來大聲道：「好！既然先生是個明白人，那明人不說暗話，寡人把話挑明吧！從前吳王夫差傾全國之兵殘伐我邦，殺我子民，搶我財貨，毀我宗廟，使得我越國白骨遍野，荊棘遍地，百姓離散，身爲魚鱉之餌。我與吳王之仇，不共戴天；我對吳王之恨，深入骨髓。寡人小心伺候他，就像兒子對老子一樣，統統都是做給別人看的。再實話跟你說吧！爲了報仇，這些年我吃不香、睡不著、不玩女人、不聽音樂、嘴唇發焦、喉嚨發乾、苦心勞力、上事群臣、下養百姓，就是希望跟吳王夫差打一場震驚天下的戰爭。我夢想著，有一天，在廣闊的原野上，我和夫差冠盔披甲，抄著雙手，指揮吳越兩邦的勇士，並肩接踵、前仆後繼、決一死戰。爲了達到那個目的，哪怕士民流離，肝腦塗地，寡人也在所不惜；就算是腦袋搬家，手足被砍斷，分投四面八方，被天下人恥笑，寡人都心甘情願。先生，您儘管說，只要能夠報仇雪恨，寡人什麼都可以幹！」

子貢只覺得一股極強的怨毒之氣撲面而來，不禁打了個寒顫。原來仇恨可以把人折磨成這般模樣，太恐怖了！寧願去招惹一個惡鬼，也不願招惹這種人。

他趕緊說：「吳王為人殘暴，又窮兵黷武，搞得國內民怨沸騰。現在君王您需要做的，就是假裝順從他的心意，出人、出力、出錢幫忙攻打齊國，讓他放鬆警惕，安心北上。假設夫差被齊國打敗，吳國兵力必定大損；假設夫差打贏了齊國，那麼他在志得意滿之下，一定會接著攻打晉國。子貢願意為您去晉國走一遭，讓晉國跟您一起來對付吳國。到那時，吳的精銳部隊全部消耗，重兵又被晉國牽制住，生死存亡不就盡在君王您的掌握之中了？」

句踐大喜，忙避席（離開席位坐在地上，以示尊敬）道：「高！實在是高！好一個扮豬吃老虎的妙計，果然是孔老夫子的高徒，名不虛傳。那就只好勞煩先生辛苦一趟了，這裡有黃金百鎰、寶劍一把、良馬二匹，小小意思，且當路費，不成敬意，請您笑納。」

這一回，子貢說什麼也不笑納了。

如此危險的人物，還是敬而遠之、保持距離為妙。

子貢又回到了吳國。

他立即回報夫差說：「事情辦好了，越王句踐非常惶恐，依我看，他絕對不會背叛您。」

過了五天，越國的使臣文種果然來了，在巍峨堂皇的姑蘇台上，以頭叩地向夫差說：「東海賤臣句踐謹派使者文種前來修好您的屬下近臣，託他們向大王您致以最誠摯的問候。句踐聽說大王將要發動正義之師，討伐強暴，扶持弱小，尊天子攘暴齊，特請大王給一個機會，讓越國出動境內所有軍隊三千人。句踐願意親自披掛鎧甲，拿著銳利的武器，走在隊伍的最前面，抵擋敵人的箭石。越國君臣上下即使戰死，也無所遺恨。」

子貢在一旁暗笑，你們越國總共才三千兵？鬼才相信！明顯就是保存實力，準備在吳國背後捅一刀嘛！

夫差卻相信了，開心地說：「句踐果然是個忠臣，寡人沒有看錯他。」

文種接著說道：「句踐還派微臣給大王送來越國的鎮國之寶：寶甲十二件、屈盧神矛、步光寶劍，作為犒勞貴軍的賀禮。小小意思，不成敬意，請您笑納。」

當然笑納，小弟的東西，不拿白不拿。

子貢忙表示祝賀：「恭喜君王！賀喜君王！越王如此忠心，吳國霸業指日可待。」

夫差笑道：「是啊！你看句踐對寡人多忠心，還要求衝在最前面幫我擋子彈呢！」

子貢又心道，夫差果然很傻很天真。句踐這種人怎麼可能衝在前面擋子彈？他不在後面捅你一刀就夠仁慈了。

他一邊想，一邊說：「不過，君王不可以這麼做。弄空別人的國家，調走人家所有的士兵，還要人家的國君跟著出征，這是不仁義的表現。」

夫差最討厭別人說他不仁義了。誰不仁義了，你才不仁義！你不仁義，你全家人都不仁義！

他當即對文種說道：「你們老大的心意我領了。寡人可是仁義無雙，怎麼能讓我的小弟衝在前面冒死呢？禮物收下，軍隊收下，他自己就不用來了，好好幫寡人守住大本營就是。」

文種大喜，朝著子貢感激地看了一眼，退下準備給伯嚭等吳國奸臣另送糖衣炮彈去了。子貢也跟著走下姑蘇台，卻迎面碰到一個滿頭白髮、怒氣衝衝的高大老人，眼睛裡充滿了怨恨，陰沉著臉，一言不發，從他身邊走過。

直覺告訴子貢，此人不是別人，正是傳說中的白髮魔男、復仇男神！

推斷一冒出來，他忍不住停下腳步，回過頭來看了看伍子胥的背影，眼中充滿了悲哀，就像在看一個快要死的人。

伍子胥，不要怪我，這是我的使命，也是你的宿命。

子貢離開吳國，前往最後一個目的地——晉國。

一路上，他的內心波濤洶湧，不斷告訴自己：我所走過的每個國家，都將因爲我的挑撥而捲入紛飛的戰火之中，百姓遭殃，妻離子散，鮮血就要染紅這片飽經創傷的土地。

這就是我想要的嗎？

那麼，我錯了嗎？

是的，也許眞的錯了。我用自己的智慧和言語剝奪了無辜者的生命。這等罪孽，也許盡往後一生都無法洗滌乾淨。

可是，我必須這麼做。

身爲孔門弟子，我何嘗不想列國和睦、百姓和樂、天下太平，完成老師救世的理想？可是，在這個混亂而瘋狂的世界裡，有太多可怕的陰謀家和野心家，也有太多爲了所謂的霸業可以置百姓生死於不顧的君王，跟他們宣講和平，無異於癡人說夢。也許只有徹底經過戰爭的洗禮，天下才能歸結於一個最後的勝利者，達到眞正的和平。

這一天終會到來的，我堅信。

上天，請讓那一天早些到來吧！這樣，或許能稍稍減輕一點我的罪孽……

帶著無比複雜的情感，他抵達晉國見了晉定公，說道：「子貢此來是爲了提醒君王，吳國大軍即將席捲齊魯大地，挾威而直逼貴國，威脅您的霸位。君王，您一定要早做準備。」

晉定公大驚，沒有想到這個當年晉國爲了牽制楚國而一手扶持起來的東海小邦，竟已不滿足於南方橫行，要跑到中原來霸道了，忙問：「那夫差竟如此囂張，依先生看，寡人該怎麼辦呢？」

子貢說：「與吳國的死敵越國結盟，然後厲兵秣馬，用槍炮迎接吳軍。」

晉定公點頭道：「嗯，好主意。當年我們可以扶持吳國，搞定楚國，現在當然也能扶持越國，搞定吳國。呵呵！多謝先生不遠千里前來提醒，長途跋涉，辛苦了。這是一點小意思，且當路費，不成敬意，請您笑納。」

當然笑納，山西佬是土財主，有的是錢，不拿白不拿。

就這樣，子貢完美地完成了自己的使命，不費一兵一卒，只靠一張天下獨一無二的嘴巴，存魯、亂齊、破吳、強晉而霸越，從而讓春秋時代最後十年的天下局勢來了個大洗牌，並將自己推上中國歷史第一辯士的神壇。

此後，他名揚天下，一面在魯國和衛國爲相，一面在列國經商，以至家累千金、富可敵國，經常坐著四馬華車，帶著滿車的金銀財寶，結交列國諸侯，所至之處，國君無不以禮相待。

天下第一辯士一不小心又升級了，登上天下第一富豪的神壇。怪了！孔子一生落魄，子貢卻一生顯貴。同樣是儒家，差距怎就那麼大呢？在我看，孔門七十二黃金儒鬥士中，最終還是子貢達成了孔子夢寐以求的政治理想，也正是他，靠著自己的金錢、勢力與影響力，讓孔子的思想名垂後世。到底是孔子成就了子貢，還是子貢成就了孔子？還眞不好說。

順便說一句，子貢的辯才揚名天下的這一年，也是南中國的戰火將要荼毒中原的這一年，一位年老的智者，騎著一頭青牛，西行越過秦國的大散關，飄然而去。臨走之前，爲世人留下充滿了智慧的五千字奇文，以解釋宇宙人間的奧秘。這篇文字後來成爲道家所尊奉的最高經典，是爲《道德經》。

7 寄子

夫差還沒有動殺機，伍子胥卻預感到了死期將至。一個被國君斥為既病且糊塗的臣子，一個無法出謀劃策的相國，沒有存在的價值。他決定替自己料理後事。

現在，讓我們把目光拉回到吳國的靈岩山下。

伍子胥從子貢的身邊走過，義無反顧地登上了姑蘇台。只是他眞的老了，步履有些踉蹌。事實上，他並不眞怨恨子貢。子貢有他自己的立場，有他自己的使命，他怨恨的是自己，爲什麼他的話大王總是聽不進去，卻願意聽伯嚭的？難道大王眞是個……玻璃？呸呸呸！當我沒想過。

伍子胥覺得自己確實老了，不知道還能活幾年，也不知道夫差會不會聽進自己這也許是最後的忠言，但他還是要試一試。就算是爲了先王最後再努力一次吧！這樣，下去見他至少不會感到羞愧。

夫差正在姑蘇台上聽歌觀舞，不亦樂乎，看到伍子胥來了，知道他又要唧唧歪歪，頓時滿臉不高興，揮退歌舞，不耐煩地說道：「老相國怎麼來了？你不是久病家中，已不理國事了嗎？」

伍子胥叩頭道：「老臣聽說大王要大舉攻齊，病立馬氣好了。」

「老相國，你爲什麼老是要生氣呢？寡人每次看到你，都是一副怒氣沖沖的樣子，眞是叫人受不了呀！」

「老臣沒有辦法不生氣，只要越國存在一日，老臣就沒有辦法安心一天。大王，您現在不根除這個心腹大患，卻要聽信那些花言巧語，去處理齊國這個疥癬之疾，這是不對的啊！就算打敗了齊國，又能怎麼樣？齊國是不可能屬於吳國的。希望大王您聽老臣一言，棄齊攻越，否則悔之晚矣。」

「住口！寡人出兵在即，你這個老傢伙亂我軍心，該當何罪？」

「大王……」

「算了，你病糊塗了，寡人不跟你計較，你下去吧！」

「大王，老臣沒有病，身體不知道多好呢！你聽我說……」

夫差被伍子胥嘮叨得快發瘋了，大喝道：「住口！住口！我叫你住口，聽到沒有？

既然你身體很好，那就去齊國幫寡人約定戰期吧！出去散散心，也許那讓人受不了的憤怒會少一點。」

這個時候，夫差還沒有對伍子胥動殺機，他只想把這傢伙遣得遠遠的，眼不見心不煩。可是，伍子胥已經預感到自己的死期將至。一個被國君斥爲既病且糊塗的臣子，一個無法爲國家出謀劃策的相國，沒有存在的價値。

他決定爲自己料理後事，藉出使之機把兒子送到齊國去。自己死不要緊，寶貝兒子可不能死，這是伍家唯一的血脈，沒有必要跟著陪葬。當年，齊景公派鮑牧將自己的女兒少姜送到吳國，伍子胥和鮑牧兩人因此有緣相識，結爲好友。雖然現在他已經死了，但他的兒子鮑息和伍子胥的交情也不錯，就把兒子託付過去吧！

眼見已快到齊國，伍子胥帶著兒子伍豐偷偷離開出使團，前往鮑家。

齊國的郊外，萋萋山崗，秋風四起。伍子胥看著這片陌生的土地，忍不住悲從心來。鄉關何處，生離死別，世間最痛苦的事情莫過於此。從前威震吳楚的白髮魔男，如今竟然淪落到連兒子都無法保護的地步，眞是英雄末路，可悲可歎呀！

伍豐揚起小臉，問：「爹爹，我們這是去哪兒呀？咱們不是要去拜見齊君嗎？你還說要帶我在臨淄城內好好玩一玩，這怎麼越走越遠了？」

「兒呀！實話跟你說吧！前日大王聽信子貢遊說，欲北伐齊國，故遣我來下戰書。

你想想，吳國臥榻之側還躺著一隻老虎越國，怎麼能輕率出兵北上呢？我回去之後，誓當死諫，以報國恩。只是，要你陪我一起死，沒有任何意義。好在我有一個結義兄弟鮑牧，其子鮑息現任齊國大夫，就住在這附近。今天帶你來，就是想把你寄在他家，以存伍氏一脈。從今以後，我自去幹我的事，你自去幹你的事，再不要想念我。」

「怎麼會這樣？我不要離開您，孩兒還沒有報答您的養育之恩呢！您不要死……」

「孩兒，事已至此，不用傷悲。汝父爲國而死，死得其所，你該驕傲才對。」

「爹爹，你果然要把我撇在這裡？」

伍子胥強忍悲痛，狠心道：「不要多說了，我意已決。從今以後，你就待在齊國，拜鮑息爲兄，並改姓王孫，不要再提自己姓伍，以免遭禍，記得了嗎？」

「不！我不要改姓，我們伍家個個都是頂天立地的好漢！爹爹若死，孩兒定爲你報仇。」

伍子胥聽了大急，仇恨多害人，他自己最明白，不能讓兒子重蹈覆轍：「不行！報仇大事，我便做得，你做不得。我今日殺身報國也是沒奈何，你日後切不要學我。」

好說歹說，伍子胥總算將自己的兒子留到了鮑家，獨自一人前往臨淄。待到走遠了，兩行清淚終於忍不住流下，回頭最後看了一眼夕陽斜照下的鮑府。

遣走了伍子胥這個討厭鬼，夫差總算可以再無顧忌地放手攻齊了。

西元前四八四年春末，吳王夫差徵調全吳九郡十萬大軍，加上句踐的三千越甲，總共十萬三千人馬，從姑蘇城胥門出發，經邗城，過邗溝，逆淮水直達魯境，與魯國的軍隊會合後，沿汶水自西而東，五月攻下博地（今泰安市南舊縣村），又攻克嬴地（今萊蕪市羊裡鎮城子縣村），直逼齊都臨淄。

這時候，伍子胥已經出使回來，半路上聽說夫差不等自己就先出兵攻齊，木已成舟，無法挽回，只好鬱悶地待在家裡生氣。

8 艾陵大戰

風雲突變，後撤的吳軍忽然左右讓開，從中間殺出一支龐大的生力軍，正是剛吃飽飯精力旺盛的吳國三萬中軍。原來鳴金不是退兵的信號，而是反攻的號角。

與此同時，齊軍統帥國書正屯兵汶上（今泰山的汶河上游），聞吳軍大至，遂與田乞（陳僖子，田常之父）派來的田書（字子占，田乞之弟）援兵會合一處，沿淄水而上。

五月二十七日，吳齊兩軍主力在艾陵（今萊蕪市辛莊鎮東的艾山丘陵地帶）相遇，「艾陵之戰」的序幕緩緩拉開。

與吳國前幾年對山東半島的試探性進攻不同，這次夫差全國精銳盡出，齊國也拿出了壓箱底的實力。雙方投入兵力總共二十餘萬，而且是一戰定勝負，規模完全可以和著名的晉楚「城濮之戰」和吳楚「柏舉之戰」相媲美，慘烈程度甚至超越上述兩場大戰。

可以說，這場戰爭沒有眞正的勝利者，雙方都付出了極大的代價。慘劇發生之前，且讓我們做一下深呼吸，看看雙方的戰將名單，好準備迎接這場鮮血淋漓的強烈震撼。

●齊軍

主帥：國書，四大家族國氏帶頭大哥
主帥御者：桑掩胥
上軍統帥：高無丕，四大家族高氏帶頭大哥
上軍將領：東郭書（東郭氏，也是齊國的資深大族）
中軍統帥：國書
中軍將領：公孫夏、公孫揮、田書、田逆
下軍統帥：宗樓
下軍將領：閭丘明
兵力：革車八百，兵力十萬餘

•吳軍

主帥：吳王夫差

副帥：伯嚭

上軍統帥：胥門巢（胥門，吳國城門，此人大概以其所居地為氏）

中軍統帥：吳王夫差

下軍統帥：王子姑曹（夫差之子）

右軍統帥：展如

隨軍將領：越國司馬諸稽郢、魯國司馬叔孫州仇（魯國三桓之一叔孫氏的帶頭大哥）

兵力：吳軍十萬，越軍三千，魯軍不詳，總兵力應該也在十萬到十一萬

大家看這一長列的名單滿滿當當的，誰能想到，就在幾個時辰後，這些名字中的半數將會從這個世界上徹底消失，爲吳王夫差所謂的「霸業」和齊國田氏所謂的「大事」殉葬。

大戰來臨之前，齊軍籠罩在一片激昂和悲壯的氣氛中，他們早就做好了戰死疆場

的準備。田書和田逆本就是田氏家族派來送死的。要想讓四大家族的精銳在艾陵一戰中損失殆盡，田氏也必須派出人來跟著一起死，以消除反對勢力對他們的懷疑。田逆甚至還命令部下和他一樣，嘴裡含塊玉去打仗。要知道，死人才含玉呢！

下軍將帥宗樓和閭丘明也互相勉勵，決定以爲國捐軀作爲最大的光榮。

中軍將領公孫夏則命令部下跟他一起合唱《虞殯》。這是一首送葬的輓歌，唱之以示必死。上軍將領東郭書則拿出自己的摯愛——一把寶琴，派人送給好友、知音，著名音樂家弦多，說：「我聽說一個人打了三次仗，總有一次會戰死。這已經是我的第三仗，我不會再見到您了……」

田書則更乾脆，他說：「這次去，我只能聽到進軍的鼓聲，聽不到退軍的金聲。要麼勝，要麼死，不貪生後退！」

山東人的勇敢，領教了。

閒話少講，大戰開始！

吳上軍統帥胥門巢最先投入戰鬥，率領著上軍兩萬吳兵，手持短兵，暴風驟雨般朝齊國中軍國書的陣中衝。

擒賊先擒王，搞定敵方的主帥，齊軍必敗。

國書冷笑：小小吳將，敢捋本帥虎鬚，活得不耐煩了？公孫揮，你把他給我滅了！

公孫揮是國書手下第一虎將，勇猛無儔，身高八尺，聞言大吼，率本部車馬三千疾驅而出，跟吳軍一場亂戰，殺得胥門巢連連後退。

國書趁機自引中軍精銳斜刺裡殺出，兩下夾攻，吳軍大敗，無數吳兵倒在齊軍的戰車之下，被輾得粉碎。

公孫揮滿臉鮮血，眼睛殺得通紅，宛如惡魔下凡一般，一面揮戈屠殺敗兵，一面大喊：「吳國人頭髮短，大家都拿八尺長繩來拴他們的腦袋！」

解釋一下，吳俗斷髮紋身，士兵頭髮短。頭被砍下來後，齊軍無法用繩子繫他們的頭髮拿回去領賞，所以公孫揮要大家乾脆拿長繩直接拴腦袋。

一時間，齊國的戰車上掛滿了吳國士兵的首級，舉軍若狂。

胥門巢損失了五千吳國勇士，灰頭土臉地回去。夫差大怒，立馬剝奪了他的指揮權，命右軍統帥展如將上軍殘部歸入其右軍，準備整軍再戰。

接著，夫差把魯軍總指揮叔孫州仇叫了來，問：「你在魯國擔任的是什麼職務？」

叔孫州仇躬身道：「司馬。」

夫差當即賞給他劍甲各一具，說：「認真地履行你的國君交給的任務，不要給你們魯國丟臉。」

叔孫州仇一向膽小木訥，看到吳王的威勢更是嚇傻了。從古至今，君賜臣劍，都是要臣自殺。吳王蠻夷，不懂周禮，居然送我一把劍，這可叫我如何答禮？

一旁的子貢趕緊幫忙答禮：「州仇敬受皮甲，跟隨君王一起作戰。」

叔孫州仇一拍腦袋，對呀！我只行受甲之禮不就得了。果然是孔老夫子的高徒，就是聰明。

夫差卻不明白這其中的道道，只覺得叔孫州仇這個人傻傻的，一定好欺負，於是道：「乖，那你就帶著你們魯國兵去打頭陣吧！」

「啊……」

中斷的戰爭繼續進行，夫差命叔孫州仇的魯國兵打第一陣，展如的五萬右軍（吳軍的上軍已併入右軍）打第二陣，王子姑曹的兩萬下軍打第三陣，胥門巢則戴罪立功率三千越軍往來誘敵。自己則引三萬中軍屯兵高地，作爲預備隊，相機救援。

看來夫差這些年成長得不少，比夫椒之戰時強多了，挺會排兵佈陣的，還知道車輪戰、誘敵計和預備隊戰術，只是固執與虛榮一如從前。

其實，夫差的軍事能力可能已經超過了大學本科程度，就是外交和邏輯思辨能力太差，基本處於幼稚園水平。

驚天動地的戰鼓繼續響起，叔孫州仇帶著魯國兵硬著頭皮往上衝，沒兩下就被國書殺得落花流水，狼狽逃竄。

夫差見狀搖了搖頭，心想：魯國人就會讀書，打仗完全不頂用，有他們跟沒他們沒兩樣。算了，還是靠自己吧！

他揮動令旗，展如的第二波進攻發動。

國書屠殺魯國兵正起勁，沒工夫理展如，遂派高無丕的三萬下軍去對付吳國的右軍。這下子有意思了，夫差無意間竟使出了後世田忌賽馬的妙招，以己方最弱的魯軍對齊國最精銳的中軍，而以己方最強的五萬右軍對齊國的三萬下軍，不正是所謂的「上駟對中駟，中駟對下駟」嗎？

高無丕敗了，三萬對五萬，不輸才怪。老高趕快給國書打電話：「老國，兄弟我這裡撐不住了，你快點派援兵來支援！」

國書在電話那頭喊：「不行！我正揍魯國人揍得起勁呢！你再給我撐一會兒，我搞定這邊就去救你！」

「撐你個頭！你這個無恥的傢伙，非要把我老高家的老本全打光，你才開心嗎？」

「好啦好啦，我派子陽（宗樓）和閭丘明帶下軍去支援你。他媽的！我本來準備拿他們當預備隊使的。」

就這樣，齊國的排兵佈陣被夫差全部打亂。此時此刻，齊軍的十萬精銳全出，而吳軍只動用了五萬右軍，其他五萬精兵則好整以暇地待在高處，居高臨下地看著血流成河的戰場，眼神平靜。

魯國兵實在頂不住了，叔孫州仇顧不上面子，帶著數千殘兵敗將亡命奔回，國書趁機大兵壓上，直朝夫差中軍殺來。

夫差回頭看向魯哀公，魯哀公哼著小曲別過頭，裝沒事。夫差倒也不生氣，揮動令旗，命胥門巢的三千越軍出動，迎擊齊中軍。

胥門巢大吼一聲，領兵下去了。他要戴罪立功，就得不怕死。

諸暨郢臉色一變，偷偷跟旁邊的魯哀公說：「吳王眞無恥，就知道拿我們兩個小國的士兵當炮灰使。」

魯哀公連連點頭：「就是就是。」

夫差見諸暨郢和魯哀公竊竊私語，心中已然猜到他們在說些什麼，大笑道：「放心，我不會拿你們區區三千越軍去拚齊國的三萬中軍主力，寡人還沒有那麼無恥，胥門巢的任務不過是誘敵。」

諸暨郢老臉一紅，夫差怎麼聽到我的話的？我說得這麼小聲，難道他有內功？

「大王誤會了，我們越國承蒙吳國大恩，片刻不敢相忘，又怎敢口出怨言？別說拿越國的士兵去誘敵，就算要我們全部戰死疆場，也在所不辭！」

夫差一笑：「好了，別解釋了，你就在這裡安心地欣賞好戲吧！回去也好給你們越王講一講寡人指揮若定、談笑破敵的英姿。」

「是是是！大王英明神武，壽與天齊，一統江湖，天下無敵！」

國書本待和夫差決一死戰，沒想到吳王如此托大，只派胥門巢帶三千越兵來戰，當下大笑：「公孫揮，你的手下敗將前來送死了，你去送他上西天吧！」

「是！」公孫揮大吼，一車當先，朝越軍殺來。

胥門巢故作慌忙，大喊：「砍頭狂來了，快跑！」帶著越軍抱頭鼠竄。

公孫揮大喜，揮軍在後直追。

如此拙劣的誘敵計都會上當，齊國人還眞傻得可以。

公孫揮殺得正起勁，突然鼓聲震天，早已埋伏好的王子姑曹率領兩萬下軍從兩翼殺出，胥門巢也趁機轉身回戰，三面合圍，打了齊軍一個措手不及。

不好，有埋伏！國書慌忙帶著全部中軍趕上來救援。

一番惡戰，齊軍終於將吳越聯軍的合圍攻勢打退，挽回了頹勢。可爲此，公孫揮也損失了五千齊國勇士的腦袋。

這下好，兩邊扯平。

齊軍還沒來得及鬆口氣，戰鼓又響，王子姑曹的兩萬下軍和胥門巢的三千越軍發動了第二波進攻。

國書面色變得凝重了，吳軍果然非同泛泛，頑強得緊，本帥不使絕招不行了！當即一把推開鼓手，親自執槌擂鼓，高聲喊道：「齊國的勇士們，跟吳國蠻子拚了！齊國的安危在此一戰，生還者不為烈丈夫也！」

戰爭陷入了白熱化，這會兒也沒什麼上軍下軍左軍右軍了，齊軍十萬、吳軍七萬，總共十幾萬人馬，在這片廣闊的平原上緊緊地咬成一團，車馳馬奔，戈飛劍舞，只殺得煙塵滾滾，血流成河。

雙方的戰士都殺紅了眼睛，劍砍斷了肉搏，手砍斷了牙咬，牙咬掉了頭撞，陷入可怕的瘋狂之中。

是的，這是一場眞正意義上的血戰。交戰雙方代表著那個時代步兵方陣和戰車方陣的最高水準，無論從數量和質量還有決心上來看，都屬上乘，而且勢均力敵。因為沒有孫武這種變態級別的高手參與，無論是誰勝，都只能是慘勝，都將付出極為慘痛的代價。

可是就在這幾近瘋狂的戰場一側，吳國的三萬中軍主力仍站在高處默默地看著眼前的激戰，就好像這場戰爭跟自己沒有一點關係一般。

一邊殺聲震天，一邊卻靜如流水，好詭異的一幅情景。他們是預備隊，沒有大王的命令，就算山腳下所有的吳軍全部死光了，也不能移動半步。

激戰已經持續好幾個小時，接近中午了。艷陽高照，沒有一點風，戰場上屍橫遍野，炙熱的空氣帶著腐臭的味道緩緩升到半空，凝固在刺眼的陽光裡。粗略看去，雙方的損失恐怕都已超過四萬，近十萬英勇的士兵就此永遠地留在了這片荒山野嶺之中，再也無法回到他們的家鄉，與親人相見。

可是，夫差好像沒有一點要出動預備隊的意思，他仍威風凜凜地坐在寶座上，用令人生畏的目光凝望著慘如煉獄一般的戰場。寶座周圍站著許多衣著華麗的隨從和史官，準備如實記錄下吳國大軍的輝煌勝利。

夫差的肚子有點餓了，命全軍埋鍋做飯，又派人預備下酒菜，叫魯哀公等人過來和他一起吃午飯。

魯哀公、伯嚭、叔孫州仇、諸暨郢、子貢等人依照地位高低坐定，個個面色凝重，沒有一人有動筷子的意思。

夫差笑道：「咋啦？被水煮了啊？一個個不開心的樣子。來！陪寡人喝酒！」

伯嚭趕忙附和道：「大傢伙難得一聚，都舉起杯來，咱們祝大王健康長壽！」

大家你看看我，我看看你，傻了。

魯哀公終於忍不住，說道：「君王，請恕我直言。勇士們正在戰場上拚死，我等實在沒心思飲酒。」

夫差笑道：「打仗嘛！哪有不死人的？沒必要大驚小怪。咱們不如先喝一杯，預祝勝利！」

幾人轉頭看了看屍橫遍野的戰場，實在沒發現吳軍有一點要大勝的意思，真不知吳王哪兒來的自信。

諸暨郢是個急脾氣，乾脆把酒杯一扔，大聲道：「君王，再這麼打下去，咱們的兵就都要拚光了。再不下去幫忙就來不及了！」

夫差一點兒也不生氣，接著笑：「急什麼？再怎麼急也要吃完飯再說。不填飽肚子，怎麼打仗？」

眾人心急火燎地扒飯，夫差卻一個人在旁喝酒喝個不停，還不時找這個人乾一杯，那個人乾一杯，興致很好。

諸暨郢狼吞虎嚥地扒光碗裡的飯，又叫：「吃完了，快出發吧！」

夫差打完一個通關，拿起飯碗剛要吃，聞言怒道：「我都不急，你急什麼？寡人還沒開吃呢！」

諸暨郢站起身來，焦躁地走來走去，說道：「我能不急嗎？每等一秒，不知又會犧牲多少人。」

夫差冷冷地說道：「身爲一個軍人，總有一天要戰死沙場的，這是打他當兵那天開始就必須有的覺悟。你也是一個軍人，難道連這一點也不懂？句踐從前是怎麼教你的？」

包括伯嚭在內，所有人都忍不住打了個哆嗦，這是他們第一次真真切切地感受到夫差的冷酷無情。爲了他的霸業，所有人的生命在他眼裡都不值一提，死一個人，死幾萬人，沒有任何區別。

夫差開始一言不發地吃飯，吃得很慢。

他在等，等齊軍完全疲憊的一刻。

國書從來沒有打過如此艱苦的戰鬥。

吳國人怎麼能這麼頑強呢？他們投入的兵力顯然要比己方少一些，可是打起來卻沒有吃多少虧的樣子。而且明明傷亡十分慘重，卻沒有一點後撤的意思。

他們不撤，我們也絕對不能撤。

類似這種大規模硬碰硬的陣地戰，比就比誰的意志力更強一些。誰能在這瘋狂的廝殺中堅持下去，撐到最後一刻，誰就是贏家。

可是他餓了，他的幾萬齊軍也餓了，從早晨打到晌午都過了，他們粒米未進，還要拚死廝殺，不僅體力疲憊到了極點，精神也到了崩潰的邊緣。

他眞的很想大聲喊：吳軍哪！你們快退吧！我們保證不追你們，大家吃完午飯接著幹，好不好？

就在這個時候，對面傳來了鳴金的聲音，吳軍開始緩緩後撤。

國書欣喜若狂，太好了，吳國人終於撐不住了，天佑齊國！接著便開始做夢：今天的戰事總算是有了個結局，也不知夫差是準備跟我們議和呢，還是準備來日再戰？

他的愛將公孫揮衝到了他面前，叫道：「元帥，吳軍敗退了，咱們趁此機會衝上去殺他個落花流水吧！」

眞是一個不知疲倦的勇士呀！國書心中暗贊。

「是戰是止，請大人速下決定。」他的副手高無丕在旁也問。

「嗯……」國書猶豫了。

這一猶豫不要緊，戰場上風雲突變。後撤的吳軍忽然左右讓開，從中間殺出一支龐大的生力軍。

不用懷疑，這正是剛吃飽飯精力旺盛的吳國三萬中軍。後撤的吳軍也緊隨在三萬中軍之後，全面壓上。原來夫差早有定計，鳴金不是退兵的信號，而是反攻的號角。

現在，猛虎終於下山了！

膠著了半天的戰局開始一面倒，齊國人慘了，被這群下山的猛虎屠殺。其實按目前雙方兵力，他們並不比吳軍吃虧，虧就虧在體力上。一方在高處養精蓄銳，早已躍躍欲試，另一方則戰得筋疲力盡、餓得頭昏眼花，兵器都快拿不穩，更別說戰鬥了。雙方一交鋒，高下立見。

公孫揮指揮的齊中軍先頭部隊做了第一張多米諾骨牌，首先崩潰。接著，齊三軍的其他部隊也相繼潰敗，有的甚至還沒看到吳軍的影子，就被前面的敗兵挾裹著不得不往後敗退。吳國的輕裝步兵趁勢席捲而上，數萬齊軍部隊在極短的時間內遭到滅頂之災。

這就是戰車部隊相較於步兵部隊最大的一個弱點：戰車的進攻必須依靠整齊而穩定的陣形，如果前方的部隊亂了陣腳，整支部隊基本上就無法重新編組佈陣，輕易撤退更可能招致全面失敗，失敗的一方很少有翻盤的可能。所幸齊國在北方面臨的對手一般也都使用戰車，所以一旦被擊潰，還可以利用行動速度快而逃跑。

可惜，這次面對的是吳國非常專業的步兵。別忘了，當年的「柏舉之戰」，他們曾在數日之內狂追楚軍數百里。迅速插入敵軍縱深，對敵國的戰車部隊實施全面圍殲，正是拿手好戲。

具體的圍殲過程我們就不詳細描述了，太血腥了，最終的結果就是齊國的十萬戰車部隊大部被殲，公孫揮首先被胥門巢斬於陣前，閭丘明、東郭書則在掩護主將宗樓、高無丕的過程中被亂箭射死。

接下來，國書、公孫夏、田書等齊軍將帥也相繼被俘殺，只有宗樓、高無丕、田逆三人僥倖逃出。

而後就是打掃戰場了，艾陵平原屍橫遍野、甲仗堆積如山，吳軍所獲戰利品無數。吳王夫差大方地將三千齊軍首級與八百乘裝備完好的戰車獻給魯哀公，以宣揚其赫赫戰功。魯哀公稱謝不已，一個勁地誇吳王用兵如神、大方講義氣。

夫差心裡暗笑，嘿嘿！我們吳國步兵天下無敵，要那些無用的戰車做啥？還不如送給魯國，做個順水人情。

戰後，魯哀公將齊帥國書的首級裝匣，又在下面墊上黑色和紅色的絲綢，加上綢帶，送還給齊國，並附上一封外交函，上書：這次失敗完全是咎由自取。上天如果不瞭解你們行爲不正，又怎會讓下國勝利？

瞧瞧！靠著夫差的威風，魯國人也跩起來了。

齊簡公還能說什麼呢？十萬大軍全拚光了，他還有啥底氣跟別人嗆聲？只好低下高傲的頭顱，可憐巴巴地給魯國人賠禮道歉，並且獻上大批金銀寶器，向吳王夫差求和。夫差欣然應允，齊國人既然服軟，我東方霸主地位就已確立，無須再多生枝節，回國吧！

艾陵之戰，最終以齊國的慘敗，吳國的慘勝告終。

齊國損兵將近十萬，國內高層將領精英損失殆盡，高、國兩大家族的實力更遭到毀滅性的打擊，從此一蹶不振。另外兩大家族自晏嬰和鮑牧死後，更沒有了與田氏爭雄的實力，從而導致田氏一家獨大，最終篡而代之。

吳國雖然收穫了霸主的虛名和大批戰略物資、金銀寶器，但也損失了五萬多兵力，可謂得不償失。要知道，春秋時代中國的人口不過幾千萬，即使大國的人口，恐怕也就在幾百萬上下，所以五萬兵員絕對不是一個小數目。錢可以再賺，兵源的損失可沒那麼快恢復過來，而且種地的人也少了五萬——春秋時各國採取的都是耕戰制，閒時耕田，戰時打仗。

可以說，兩國都不是這場戰爭的眞正的贏家。眞正的贏家應該是齊國的田氏家族、子貢、魯國，以及越國。

第12章

伍子胥的憤怒

侍衛們將伍子胥的屍體拋向江心，立即聽見陣陣可怕的巨響從江中傳來，錢塘江巨浪滔天，蕩激崩岸，彷彿在挑戰著獨裁者的權威，發洩著漫天溢海的怨憤。

1 抉眼潮神

侍衛們將伍子胥的屍體拋向江心，立即聽見陣陣可怕的巨響從江中傳來，錢塘江巨浪滔天，蕩激崩岸，彷佛在挑戰著獨裁者的權威，發洩著漫天溢海的怨憤。

話說吳王夫差勝利而歸，得意地對越將諸暨郢說：「子觀此戰，我吳兵如何？」

「很好很強大。」

「比你越兵如何？」

「不能比！吳兵之強，天下莫當，弱越何足掛齒？」

「哈哈哈！算你們有自知之明！」夫差大悅，遂重賞越兵，讓他們回越國宣揚自己的巍巍功業。

諸暨郢於是回到了越國，向越王句踐述職。

句踐問：「諸大夫，這次你近距離觀摩了吳軍的戰鬥經過，一定收穫良多。趕快跟寡人講講，這對日後與吳國決戰一定非常有用。」

「是！微臣此次有幸參與艾陵之戰，掌握了不少第一手資料。吳軍戰鬥力極強，裝備也很好，且對於大規模長時間兵團作戰十分熟練，絕對是個不能小視的敵手。」

「是啊！艾陵一戰，吳軍全殲齊軍十萬。十萬哪！好恐怖的一個數字，這可比越國所有壯丁人數加起來還要多。更厲害的是，夫差一戰功成，毫不戀戰，迅速回軍，讓寡人從後搗其老窩的計劃徹底落空，真是可怕。」

「哦！大王原來曾有過如此驚人的計劃！」

「寡人本以爲夫差沒這麼快打贏，且打贏之後會在齊晉等地耀武揚威一番，所以想偷偷集結軍隊去偷襲吳國，還好范大夫及時勸阻，否則悔之晚矣。」

范蠡在旁道：「沒錯！夫差也算是個能兵之人，且吳國氣數未盡，現在還不是跟他們翻臉的時候。」

諸暨郢說道：「雖是如此，但是吳國此戰損兵數萬，大傷了元氣，他們離死期又近了一步。」

句踐沉吟道：「話是這麼說，可咱們也不能坐等它滅亡，得做點事情來加快它的死才行。寡人回越國轉眼已近十年，再等下去，頭髮也要變得跟伍子胥一樣白了。」

這時，文種笑道：「這有何難？大王難道忘了微臣的滅吳九策？」

句踐一拍腦袋：「對呀，我咋把這茬忘了！文大夫的滅吳九策，寡人只用了五策，還有四策沒用呢！」

文種點頭道：「沒錯，現在就是用第三策和第七策的大好時機。」

句踐翻開一本筆記本，邊查邊念道：「第三策，用高價購買吳國的糧草，以空其糧倉……不是吧！我國今年受晉國次貸危機的影響，物價本就有點通貨膨脹的趨勢，財政收入應該放在穩定市場物價上才對，怎麼能再用高價去買吳國的糧食呢？這個策略不妥當，駁回！」

文種道：「咱們何必要買？可以借嘛！這年頭，楊白勞比黃世仁跩！」

句踐聽得一頭霧水：「楊白勞？黃世仁？」

文種一捂嘴：「哎呀糟糕！一不小心說溜嘴了……總之，大王開口找吳王借糧就是。夫差不是一向自誇大方嗎？咱們就讓他出點血！」

句踐沉吟道：「計是好計，只是伍子胥那個小氣鬼一定會從中作梗，糧食恐怕沒那麼好借。」

文種笑：「大王放心，伍子胥如今是泥菩薩過江，自身難保。他若硬要多管閒事，微臣保證他會死得很慘，這就是滅吳九策中的第七策了。」

句踐又查起了筆記本，念道：「第七策，離間吳國以伍子胥為首的那些諫臣與吳王之間的關係，迫使他們自殺，以弱其輔……」念到這裡，他猛然睜大眼睛，不可置信地道：「難道文大夫有辦法讓伍子胥自殺？」

文種撚鬚道：「正是！大王有所不知，微臣從情報部門那裡得到了可靠的消息，伍子胥竟然在吳齊決戰之前將兒子伍豐託付給齊國的鮑氏，哼！這可真是自尋死路。」

句踐一拍桌子，狂笑道：「哈哈哈！伍子胥這老賊必死矣！寡人終於可以睡幾天安穩覺了。」

沒過多久，文種又一次來到了吳國，來為夫差掘墓。

當然，他不是空手來的，帶了很多金銀財寶和美女，從上到下一個個賄賂過去。這年頭，想辦事就得肯花錢。

一切打點好，他才去找夫差，提正事道：「恭喜大王得勝歸來！此役之後，吳國威震中原，齊魯臣服，實乃萬世之功也。可是我們越國今年可慘了，水旱不調，穀物歉收，人民饑困，老百姓都快活不下去了。我們老大叫我來大王這兒借些糧食，先渡過眼前的饑荒再說，來年穀熟，必定加倍奉還。」

夫差想也不想就說：「越王臣服於吳，越國的子民就是我吳國的子民，越民之饑，即吳民之饑。還有什麼好說的？借！」

伍子胥想都不想就開勸：「不可！不可！依我看，越國人居心叵測，並不是真的沒糧食，他們是害我們來的。現在借好借，到時還就不那麼好還了。這年頭，楊白勞比黃世仁跩！」

「楊白勞？黃世仁？」

「總之一句話，不能借！」

此時，伯嚭說話了（得了好處，當然要幫忙說話）：「相國，您這是以小人之心，度君子之腹。句踐這些年的表現天下皆知，又老實，又忠心，怎麼會加害我們呢？大王，伍子胥不是個好人，您千萬不要聽他的。」

伍子胥又怒髮衝冠了：「我對大王忠心耿耿，怎麼就不是好人了？你今天不把話說清楚，老夫誓不干休！」

伯嚭冷笑：「就看你千方百計阻撓大王伐齊，動搖軍心，就知道你不是個好人。說！齊國到底給了你什麼好處？你老是幫他們說話，如今又陰險地離間吳越關係，唯恐天下不亂，究竟是何居心？」

夫差滿臉狐疑地說：「是啊！伍子胥，你屢次勸我不可伐齊，可是寡人這次大勝而歸，一點事兒也沒有，這件事你怎麼說？」

伍子胥委屈得眼淚都要流出來了，解下佩劍，捋起袖子，舉臂高呼道：「過去先王在位時，老臣可以上朝不執禮，是因爲能夠決疑解難，安邦定國。如今大王把老臣棄置不用，任用小人，親近仇人，行事顛倒，倒似一個孩童，哪裡像一個霸主？吳國表面上沒事兒，其實隱藏著極大的禍患，你再不悔改，先王的基業必要全毀！」

夫差竟然沒有生氣，輕輕地歎了口氣，搖頭道：「伍子胥，你太天眞了，以爲自己還活在先王的時代嗎？你錯了，大錯特錯。你看，寡人沒有你，一樣輕鬆搞定齊國。你，對寡人已經沒有用處了。」

伍子胥頹然癱倒在地，心如刀割：「大王，我知道你不喜歡我，但是，我對吳國的忠誠，從沒有一點改變。你再不聽我的話，吳國眞的會亡在越國手裡的。求求你，快點醒悟吧……」

夫差終於動怒了：「住口！你這個老東西，竟在這裡妖言惑衆！」

「大王！」

「伍子胥，你心懷奸詐，不忠不信，寡人已經忍了你很久了，你可不要自己找死！」

伍子胥幾乎是狂喊了：「大王，老臣忠心無二，可誓天日！」

聽到這句話，伯嚭笑了，緩緩走上前幾步，淡淡道：「伍老相國，你難道忘了把兒子偷偷送到齊國去撫養的事了？」

伍子胥一愣。我做得如此隱密，伯嚭怎麼會知道？

文種在旁暗笑，吳國的支柱終於就要崩塌了，我就等著看好戲吧！

伯嚭又一聲冷笑：「你的忠心，是對齊國的忠心。」

伍子胥急道：「你什麼意思？」

「什麼意思？你通敵賣國，做了爲何不敢認？」

晴天霹靂啊！「我沒有，我沒有……」伍子胥頓時如瘋了一般號叫起來。

整個朝堂一片死寂，只有狂叫聲迴響。所有的朝臣噤若寒蟬，沒有一個人替他說話。大家都從文種那邊收到不少好處，足夠堵住他們的嘴了。

伍子胥用無助的眼神掃過衆人，看到了冷漠、嘲笑，還有無語的憐憫。這些朝夕相處了數十年的同僚，這些熟悉得不能再熟悉的臉龐，今天卻好像一個都不認識一般。

你死了，對誰都有好處。空出一個相國的位置，人人都可以官升一級。更何況你老是一副盛氣凌人、只有自己最正確的樣子，實在是不招人喜歡。所以啦，無論是看在錢的面子上，還是爲了明哲保身，我們都沒有必要爲你出頭。

人心，眞是世界上最可怕、最多變、最看不懂的東西，可以很暖，也可以很冷。

夫差臉上終於露出了恐怖的殺氣：「事到如今，你還有什麼好說的？左右！取寡人的『屬鏤劍』來！」

伍子胥不喊了，心如死灰。

夫差把劍往地上一扔：「拿去自處！」

伍子胥拾起劍，赤腳批衣，一邊兒往外走，一面慘笑道：「我讓你老爹稱霸，又擁立你爲王。你當初想與我平分吳國，我不稀罕，時至今日你反而要殺我，是你傻還是我傻？哈哈哈……」

夫差一個勁地搖頭道：「瘋了！他瘋了！文種，你拿了糧食回去之後，記得告訴你們老大，國中若有這樣的人，切不可用。」

伍子胥回到家中，準備自殺。

臨死之前，他給家人留下了最後一句遺言。

這句話，可以說是春秋歷史上最震撼人心的名言，至今讀來仍讓人心魂蕩漾，忍不住仰望長天，爲之一慟：必樹吾墓上以梓，令可以爲器，而抉吾眼懸吳東門之上，以觀越寇之入滅吳也！

翻譯過來，意思是：我死後，你們須在我的墓旁種滿梓樹，等它們長成後就做成棺材，吳亡之後用來埋葬死難戰士的英靈。再挖出我的眼珠，懸掛在都城的東門之上，我要親眼看著越國的軍隊攻入姑蘇，滅掉吳國。

好一句風雲激盪，鬼哭神驚的遺言，怨毒之於人甚此哉！

說完，伍子胥拔劍出鞘，引頸自刎。殷紅的鮮血飛濺而出，濺在滿頭白髮和一身白衣上，桃花點點。

當鮮血從頸間湧出，他的眼前劃過了很多人，一幕一幕，如同幻燈片一般：爹爹伍奢、哥哥伍尙、吳王闔閭、專諸、要離、孫武，還有自己破郢時的英姿，那時候，好年輕……

伍子胥死了，結束了這一段以復仇爲目的的生命，也結束了悲劇的一生。

雖然死不瞑目，但我相信，如果讓他再選擇一次，他仍然會走這一條不歸路。假使當年追隨他的父親伍奢一起死去，假使像吳國其他大臣一樣隨波逐流、苟且偷生，那生命和鹹魚又有什麼不同？他這樣的人，生來就註定要當一個英雄。是英雄，就要選擇最壯烈的死亡方式。

有人說，伍子胥如此隱密地送兒子去交戰國齊國，似乎有通敵嫌疑，其罪當誅，一點兒都不冤枉。如果他眞的是個大忠臣，爲何不將兒子送到中立的國家去呢？

我想替他解釋一下，當時的吳國是霸主，夫差本人又極其好戰，故大國皆與之爲敵，小國唯之馬首是瞻，根本沒有所謂中立的國家。如此情況下，伍子胥沒有其他路可走，只能選擇一個強大的敵對國託孤，以保證兒子的安全，讓自己死得無牽無掛。

夫差聽說了伍子胥的臨終遺言，大發雷霆：「伍子胥，你都死了，還怎麼可能會有知覺？你所預言的一切，絕對不可能發生！寡人是天之所生，地之所載，神之所使，誰敢動我？」

他命人將伍子胥的頭砍下來，掛在東門之上，又將屍體的其他部分裝在一個鴟夷（古代裝酒的一種袋子，以皮革製成）裡，拋入滾滾的錢塘江水之中，怒道：「寡人要讓太陽烤你的頭、大風飄你的眼、魚鱉吃你的肉、野火燒你的骨，叫你骨肉糜爛、化爲齏粉，還看個什麼？」

這兩個人，眞是天生的一對冤家。

傳說，夫差的侍衛們將伍子胥的屍體拋向江心，立即聽見陣陣可怕的巨響從江中傳來，屍體隨著江流迅速地翻滾，繼而與水融爲一體。接著，錢塘江巨浪滔天，盪激崩岸，彷彿在挑戰著獨裁者的權威，發洩著自己漫天溢海的怨憤。

侍衛們嚇壞了，狼狽奔逃，這件事讓他們感受到無比的恐懼。

從此就有傳說了，說伍子胥死後，佩劍經常在屍體沉沒的江上出沒，憤然漂浮於水面，人取之就會生病，丟棄它則馬上恢復健康。

還有人信誓旦旦地說，自己看到伍子胥穿著一身素衣，騎著一匹白馬，持一柄長

矛，立在數百尺高的錢塘江大潮之中，仰天長嘯，其聲震怒，雷奔電激，蕩漭千里。（唐．杜光庭《錄異記》）

伍子胥是復仇男神，就算是死了，靈魂也要繼續復仇。那滔天的巨浪就是怨氣，要讓夫差一刻都不能安寧。

據《太平御覽》記載，夫差後來果然內心不安，曾經親自率領群臣到江邊致祭，吳國人還在胥口為伍子胥建立了祠廟，稱為「胥王廟」，並以他的名字命名了胥江、胥湖、胥山、胥口、胥門等等，封他為江神。

更令人深思玩味的是，作為敵國的越國也很敬重伍子胥。越人在西湖邊的一座小山上修建了一座伍子胥祠，連這座小山也被命名為「胥山」或「吳山」，封他為鎮壓錢塘潮的潮神，並在廟內寫上這樣的楹聯：「孝當竭力，忠則盡命；生為相國，死為濤神。」

其實，在吳越很多地方，端午節時，百姓們祭祀的是白髮魔男伍子胥，而不是楚國詩人屈原。真正的英雄，連敵人都會對他敬重。

2

王者之劍

越王句踐劍，一九六五年出土於湖北江陵望山一號墓，裝在黑色漆木劍鞘內，沉睡了兩千多年，出土時仍然光亮如新，試之以紙，二十餘層一劃而破。

文種帶著一萬石小米和伍子胥的死訊回到越國，句踐大喜，越國的百姓也大喜，這下子大家都有吃不完的糧食了！

萬石糧食和伍子胥的死訊，就是吳國滅亡的鐘聲。

句踐後來有沒有還夫差糧食呢？

出乎意料，他還眞的還了，而且還的是質量最上等的優質良種。

奇怪，句踐怎麼變厚道了？這不像他的爲人呀！

不奇怪，因爲句踐還的是蒸熟的種子。吳國人屁顚屁顚地拿去種，沒想到一到秋天，田野顆粒無收，全國大饑。夫差傻眼了，還以爲是吳越兩地水土不同，只好自認倒楣。

爲了越國的復仇大計，不知多少吳國百姓因此餓死。一將功成萬骨枯，這就是身在亂世的悲哀。

借糧事件是吳越雙方實力的轉捩點。從此，越國轉強，吳國轉弱。

有人要問了，吳國不是從越國搶了很多金銀珠寶嗎？沒有糧食可以去買，幹嘛要坐著挨餓呢？

這是因爲春秋時期的經濟形態和現在不同。現在的經濟是全球一體化，擁有完備的貨幣金融體系，再加上商品大多是供過於求，所以只要有錢，什麼東西都可以買。但在春秋時期，國際貿易不像現在這樣發達，再加上生產落後，大多數商品都只能供本國使用，特別是糧食、武器這些關係國計民生和國家安全的資源，更不會輕易賣給其他國家。

而且，原始農業是靠天吃飯的，你今年豐收，並不代表明年也會豐收，如果遇到大的天災，前些年儲備的糧食就可以用來救急。糧食儲備是一個國家的根本所在，若沒有特殊情況，絕對不會賣給另外一個國家。從前秦穆公借糧給晉國，和現在夫差借糧給越國，統統都是極其愚蠢的行爲，都爲此吞下了巨大的苦果。

對當時的國家來說，人口和糧食才是最重要的國力指標，金銀財寶倒還是其次。所以也可以知道，吳國打敗越國和齊國的時候，對它們所採取的金銀掠奪行動，同樣是十分愚蠢的行為。你搶那麼多金銀珠寶有什麼用？金銀只能增加本國國內的貨幣投放量，但若無法換成實實在在的東西，就不能增加本國的財富。在這一點上，楚國就做得極為聰明，它每次搞定一個國家，要的都不是錢，而是人。

從歷史上的記載來看，楚國每次打仗，或者有大的工程要興建，都是直接從附屬國抽調軍士和民工。這樣不管死多少人，都是其他國家的，自己本身的實力不會受到一點兒損傷。

舉個例子，比如說著名的城濮之戰，楚國出動的兵力就大多是申息陳蔡等附屬國的部隊，自己的兵反而很少。此戰雖然大敗，申息數萬部隊幾乎全軍覆沒，但楚國嫡系部隊傷亡甚小，所以沒幾年又恢復了元氣，得以重新和晉國爭霸。

再看看吳國，艾陵之戰伏屍齊國的五萬勇士，可大多是吳國人呀！夫差傻不傻？

花分兩朵，各表一枝。卻說句踐毒計得逞，開心得幾個晚上睡不著覺，於是又找來范蠡、文種和諸暨郢三人，商量攻打吳國的事情：「伍子胥死了，吳國大柱坍塌，你們看，現在寡人可以行動了嗎？」

范蠡道：「不可！伍子胥雖死，吳國的軍事實力仍不可小覷，咱們還不能輕舉妄動。諸將軍曾經在艾陵之戰中近距離觀察過吳軍的戰陣，這一點他應該最清楚。」

諸暨郢道：「不錯，吳國軍隊是微臣所看過的最強悍的步兵，裝備有堅固的犀牛皮甲和鋒利無匹的輕便短劍，且劍技高超，尤善群鬥。孫武和伍子胥都是齊楚數一數二的劍術大師，吳軍如今使用的劍陣，就是當年他們所創。微臣自問鑽研劍法數十載，仍舊找不出破解之道。」

文種說道：「看來如今之計，該使用微臣滅吳九策中的第八策了——發展軍事科技。」

句踐道：「寡人明白大家的意思了，目前咱們要做的有三件大事：第一，大量採挖優等銅錫，鑄造寶劍；第二，修整鎧甲、船隻，積極備戰；第三，廣招武林高手，以提高我軍士兵的劍術武藝。這三件事做好了，我軍當可與吳軍一戰。」

范蠡道：「大王所言甚是。巧了！咱們這剛好有三個人，不如您就把這三件事交給我們三個吧！」

諸暨郢興奮地說：「太好了，請大王立刻給我們分派任務！」

句踐道：「那第一件事交給文大夫，第二件事交給諸將軍，第三件事就交給范大夫，如何？」

文種精於役民，諸暨郢長於修繕，范蠡善於相術，句踐這番安排，人盡其才，正中他們的長項。三人大喜，欣然領命，分頭行動去了。

諸暨郢是個急性子，立刻在山陰城五十里外興建了一個大型造船廠，取名「舟室」，又在山陰城外十二里的麻林山上種麻以製造弓弦，並向全國發出動員令：

修補鎧甲的繩索斷裂處，把長矛的介面綁牢。
想抬起頭來航行，快整治戰船。
激起衝天怒火，勇士們堅定地邁步向前。
你們要在海上苦練，
要在野地宿營，
要上前線取勝攻關！

相較於諸暨郢，文種的工作就得慢慢來了，採銅鑄劍可是個辛苦活。

大家都知道，越國是著名的寶劍之鄉，當年鑄劍大師歐冶子就曾爲越王允常鑄過五把冠絕天下的寶劍。如今歐冶子雖死，很多弟子仍散居在越國西南的若耶溪（產佳銅）、赤堇山（在今浙江寧波，因山間盛產褐紅色的赤堇草而得名，也產鎢錫）一帶，鑽研鑄劍之法。文種遂在諸暨城外龍泉鄉建起爐灶五座，並花重金禮聘了大批歐冶一門的工匠，秘密冶兵鑄劍，名曰龍泉劍。

吳國的扁諸劍和越國的龍泉劍，到底誰更鋒利一些呢？據現代考古發現，越國龍泉劍的工藝更加高超，幾已達到中國青銅劍技術的巔峰。

除此之外，文種還在一個叫做昆吾山的地方發現大量銅礦石，其色如火，乃銅中極品。句踐遂令鑄工用白色的牛馬祭祀昆吾之神，採集銅石鑄成八劍，一名「掩日」，以之指日則日光晝暗。二名「斷水」，以之劃水，開即不合。三名「轉魄」，以之指月，蟾兔為之倒轉。四名「懸翦」，飛鳥遊過，觸其刃如斬截焉。五名「驚鯢」，以之泛海，鯨鯢為之深入。六名「滅魂」，挾之夜行，不逢魑魅。七名「卻邪」，有妖魅者見之則伏。八名「眞剛」，以切玉斷金，如削土木矣。

一來二去，句踐確實收藏了不少好劍，當中有巨闕，「四駕白鹿而過，引劍而指之，四駕上飛揚，不知其絕也。穿銅釜，絕鐵𩆵，胥中決如粢米」，夠誇張的，車駕都給劈了，飛到半空，駕車的竟沒有感覺。只是一指，大銅缸就是一個缺口，切鐵就跟切米糕一樣。又有純鈞，「手振拂揚，其華捽如芙蓉始出。觀其，爛如列星之行；觀其光，渾渾如水之溢於塘；觀其斷，岩岩如瑣石；觀其才，煥煥如冰釋」，光華綻如荷花、燦如星辰，劍身亮如水紋，晶瑩剔透，就像一把冰劍，令人歎為觀止。

可是句踐還不滿足，他要文種再幫他鑄一把王者之劍，驚天地、泣鬼神、曠古絕今的那種。

文種召集了越國所有的鑄劍大師，集合當時冶金術所能擁有的最高科技，果然鑄成一把超越整個時代的高科技武器，傳說這就是今天還存在的「越王句踐劍」，一九六五年出土於湖北江陵望山一號墓，現收藏在浙江博物館裡。

此劍，長五十五．六釐米，已非短劍，裝在一個黑色漆木劍鞘內，在黃土下沉睡了兩千多年，出土時仍然光亮如新、鋒利無匹，試之以紙，二十餘層一劃而破。

此劍，劍身滿布黑色菱形花紋，文飾精美，打磨光滑，晶光熠熠，那一個個嚴格對稱的菱形花格，似乎蘊涵宇宙中無盡的奧秘。

此劍，近劍格處有兩行鳥篆銘文：越王鳩淺（句踐）自乍（作）用（劍）。經專家分析考證，確爲越王句踐隨身佩戴的寶劍。

此劍，劍格烏黑，劍格兩面鑄有花紋，分別嵌有藍色玻璃（傳說玻璃發明傳自西方，可見是胡說）與綠松石。

此劍，劍柄亦烏黑，並以絲線纏縛，向外翻捲作圓箍形，內鑄十一道寬度不及一毫米的同心圓。

此劍，使用的第一個高科技是鏤刻技術。劍上菱形花紋和鳥篆銘文，筆劃圓潤精細，鏤刻最細處僅〇．一毫米，乃以當時最先進的科技刻成。

此劍，使用的第二個高科技是複合金屬工藝，也就是先澆鑄含銅量高的劍脊，再澆鑄含錫量高的劍刃。這是因為劍脊的熔點高，可以承受第二次澆鑄的高溫而不至熔化。這樣的複合金屬工藝，能使劍既堅韌又鋒利，收到剛柔結合的良好效果。

此劍，使用的第三個高科技，是鉻鹽氧化處理工藝，劍的表面因而有一層十微米厚的鉻鹽化合物。製作方法可能如下：預先在劍身表面鏤刻出略顯凹凸的菱形花格，然後對銅劍進行氧化處理，最後對劍身、劍刃進行拋光、砥礪，使其顯露青銅本色。

正是這種獨特工藝，讓此劍保存至今歷兩千餘年，不但毫無銹蝕，而且劍氣越發凌厲，直逼人心。

大家或許不知道，鉻鹽氧化處理可是近代才出現的先進工藝，德國在一九三七年、美國在一九五〇年先後發明並申請專利。越國的冶金技術，竟然領先世界兩千多年。

總之，越王句踐劍集當時各種先進的青銅冶鑄技術於一體，代表了當時吳越鑄劍技術的最高水準，製作之精湛，眞可謂鬼斧神工。吹毛斷髮，絕非誇張。

越王句踐劍的時代，是中國青銅歷史最巔峰的時代。青銅這種奇妙的金屬，此時迎來了它最後的輝煌，一如繁花，短暫的綻放之後，緩緩退出歷史的舞台，讓生鐵來續寫傳奇。無論如何，神兵的光芒永遠不褪，一如它身後的故事。

3 越女劍

一個楚國劍士再也受不了，一劍直朝那少女刺去。少女也不躲閃，手中趕羊的竹竿一抖。再一看，那楚國的劍士的寶劍，不知怎的已經飛到半空中……

句踐之所以要集全國之力鑄這麼多寶劍，不光是爲了發展軍事科技，也是爲范蠡尋找武林高手鋪路。

沒有一個武林中人能抵抗得了蓋世寶劍的誘惑，這是習武之人的天性。於是，江湖中很多武林高手慕名而來，投奔越王帳下，每一個人，都得到一把心愛的寶劍。

句踐仍舊不滿意，他要的是眞正的劍術大師，獨孤求敗那種。可是范蠡當時正在死命追求西施（**此時是西元前四八四年，西施訓練未成，還沒有送到吳國去**），似乎對尋找高手的事兒不怎麼上心。

直到有一天，在山陰城的大街上，發生了一件事。

那一夜，范蠡正帶著西施在城內逛夜市，突然聽見長街西頭傳來一陣楚歌合唱：

「我劍利兮敵喪膽，我劍捷兮敵無首……」

八名身穿青衣的漢子，手臂挽著手臂，放喉高歌，旁若無人地大踏步過來。行人都避在一旁。這是幾個剛剛前來投靠越王的楚國劍士，顯然喝了酒，在長街上橫衝直撞。江湖人士橫行霸道慣了，時常會有擾民之舉，句踐花了很多工夫約束他們，但仍不怎麼奏效。

「我們是害蟲，我們是害蟲……」那幾個楚國劍士慢慢走近，口中還在一個勁鬼哭狼嚎。

范蠡皺起了眉頭，現在正是自己追求西施的關鍵時刻，他可不想有人煞風景、鬧場子。正想著，八個人忽然齊刷刷站住腳步，眼神直勾勾地，口水橫流。

看到了西施的美色，邁不動步子，很正常。

「美女……妳叫啥名字？想不想跟我們一起去看個電影呀？」為首的一個劍士直直地衝了過來，酒氣薰天。

西施捂著鼻子閃到一旁，眼中充滿厭惡。

「哇塞！美女害羞了！哈哈哈哈……」八人齊聲狂笑。

范蠡直氣得七竅生煙，媽的！我的妞你們也敢泡？不想混了！鏘鋃！他拔出昆吾八劍之一，天下聞名的轉魄劍，整個夜空頓時籠罩在五色華彩之中，連月亮的光芒都被蓋過去。

「你知道我是誰嗎？我可是范蠡，越國的相國，誰敢放肆！」

「我管你范蠡還是飯桶？照打！」幾個人呼嘯一聲，將范蠡團團圍住，眼露凶光。

這八個劍士顯然真醉得不輕，醉漢通常都是不可理喻的。

范蠡心裡有點發毛了，可是在心愛的女人面前，自己不能裝熊，只得強裝鎮靜道：「你們要一個一個上，還是一起上？來吧！」

「當然是八個打你一個了，傻小子！哈哈哈……」

員警怎麼還不來呢？我越國的治安部門都是吃屎的嗎？范蠡一邊裝腔作勢地舞劍擺Pose，一邊心慌慌地暗自罵道。

就在這個緊要關頭，忽聽得一陣咩咩羊叫，一個身穿淺綠衫子的少女趕著十幾隻山羊，從長街東端走來。

別於西施，這少女皮膚黝黑，長長的睫毛在大大的眼睛上撲閃撲閃，無敵的可愛，別有一番韻味。來到楚士之前，便從他們身邊繞過，似乎對眼前劍拔弩張的情景視而不見。包括西施在內，大家當下全呆了，好大膽的女孩子，「黑社會」都不怕。

不但如此，那少女一邊趕羊還一邊說：「小白、小黑，你們可千萬不能學這些叔叔，爲了女孩子大打出手喲！這樣小花會很難做的。」

西施忍不住問：「小白、小黑是誰？小花又是誰？」

那少女咯咯笑道：「姐姐有所不知，小白就是這隻白色的公羊，小黑就是那隻黑色的公羊，小花則是一隻花色的母羊，牠今天不在，跟小黃談戀愛去了。」

范蠡很認眞地問：「如果我猜得沒錯的話，小黃應該是另外一隻公羊吧？」

「沒錯！」少女歪著頭微笑。

「哇！沒想到羊的感情世界也這麼複雜。」

圍觀群衆大笑。八個楚國劍士肺都氣炸了：「喂！不要笑了，這是在打架呢！妳個小女孩，不要在這裡搗亂好不好？」

「我自跟人聊天，關你們屁事？」

「哇呀呀！氣死我也！」一個楚國劍士再也受不了了，一劍直朝那少女刺去。

少女也不躲閃，手中趕羊的竹竿一抖。

再一看，那楚國的劍士的寶劍，不知怎地已經飛到半空中。

少女咯咯一笑，竹竿又一晃，碧影閃過，只聽得「哎呀」一聲，那劍士的屁股結結實實地挨了一下，趴在地上，慘叫不止，豆大的汗珠滴下。

范蠡也算是一個劍術好手，可是少女剛才那兩招勢如閃電，自己竟然一招都沒看清楚。而且一個武林高手，屁股被人用竹竿抽了一下，居然就疼得爬不起來了，怎麼可能？看來這少女非泛泛之輩，當是個高人來的。

眼見著夥伴屁股遭殃，其他七個劍士大怒，紛紛亮劍，從四面八方朝少女上下各大要穴刺去。范蠡暗叫糟糕，這小女孩雖然有些本事，但如何敵得過七個武林高手？下意識閉上了眼睛，不忍看到慘劇的發生。

可是奇怪了，他沒有聽到少女的慘叫，反而聽到一群大男人殺豬般的悲號。疑惑地睜開眼，范蠡不禁莞爾，便見八個所謂高手趴在地上，一字排開，捂著腫得老高的屁股，放聲慘叫，情景甚是可笑。

那少女撐著小腰站在一旁，柳眉倒豎，揮舞著「教鞭」，老氣橫秋地教訓說：「你們這些沒教養的小孩，大人沒教你們禮貌二字嗎？小小年紀就酗酒，長大了還得了？以後不准喝酒了，知不知道？」

爲首的楚國劍士不服氣，忍痛道：「誰是小孩子？我們八個人加起來都有三百歲了！」

「還敢頂嘴，找打！」少女又揚起了「教鞭」。

八人連忙討饒：「是是是！我們是小孩子，我們全家人都是小孩子。姑奶奶，妳就饒了我們的屁股吧！再也不敢了！」

少女又生氣：「大膽！你們居然敢叫我姑奶奶，本姑娘今年才十八歲，這不是把我叫老了嗎？統統都要叫我師傅，明白嗎？」

「是是是！師傅好。師傅您劍術天下無敵，我們正想拜您爲師呢！」

「這還差不多。」少女滿意地點了點頭，又來到范蠡面前，躬身道：「范蠡大夫、西施姐姐，既然這幾個臭小子已經認錯，又當了我的徒弟，你們就寬宏大量，饒了他們吧！」

范蠡奇道：「姑娘怎麼知道我們二人的名字？」

少女神秘地一笑，說：「不要問，問了我也不會告訴你。」

范蠡懂得，高人都有些怪脾氣，只好作罷，轉而又問：「那姑娘如何稱呼？」

那少女道：「我也不知道我叫什麼，有個叫趙曄的說我叫越女，有個叫查良鏞的人又說我叫阿青，你隨便選一個吧！」

范蠡道：「那我叫妳阿青吧！這樣親切些。」

阿青咯咯笑道：「好，那我們就快去見你們的老大越王吧！」

范蠡一呆。

阿青道：「你們不是要請我去當越軍的武術指導嗎？還不快走？」

范蠡道：「妳又怎麼知道的？」

阿青臉一板。

范蠡豁然醒悟：「好好好，我不問就是。」心中卻在暗喜，踏破鐵鞋無覓處，得來全不費工夫。太好了，這女子一身出神入化的劍術，不正是我們要找的劍術大師嗎？沒想到本大夫運氣這麼好，一邊泡妞一邊就完成了任務。

阿青丟開范蠡，又跑回去指著那個爲首的楚國劍士說：「阿大，我去找越王了，你們留在這兒看住我的羊，我待會兒再來找你們。」

「報告師傅，我不叫阿大，我有名字，我叫……」

阿青搖頭道：「不管，你以後就叫阿大。」說著又指向其他劍士：「還有，你就叫阿二、你叫阿三……你叫阿八。好，就這麼定了！」

范蠡在旁哭笑不得，這是什麼女孩子呀？簡直就是野蠻女友嘛！

越國群臣們今天很費解，很鬱悶。因爲在他們議事的朝堂上，莊嚴肅穆的朝堂上，除了西施從來沒有女人進來過的朝堂上，居然闖進來一個天眞爛漫的花樣少女，而且是一向辦事穩重的范蠡大夫帶來的。

句踐首先發問：「范大夫，這就是你找來的劍術大師嗎？你不要跟寡人開玩笑好不好？這不是個小女孩嗎？」

范蠡剛要回答，阿青插嘴道：「范大哥，這就是你們的老大越王句踐嗎？他的嘴巴好臭！」

大家嚇得心全提上半空，這個小女孩真不知天高地厚，找死呀！竟敢直呼大王名諱，而且還說他嘴巴臭！雖然……雖然他的嘴巴確實臭，都是當年吃屎給害的。

范蠡一拍腦袋，糟糕！忘了給阿青吃藏草了，大王會不會震怒呀？

沒想到句踐一點兒不生氣，微笑著說：「小妹妹，你說得沒錯，寡人就是句踐。范大夫說妳劍術如神，此話當真？」

阿青道：「當然，只不過我從沒離開過鄉下，所以大家都不知道我的厲害。」

句踐道：「妳劍術有何高明之處？說來聽聽。」

阿青道：「劍術之道，看起來很精深，其實總結起來，不過八個字。」

句踐頓時來了興趣，問：「哪八個字？」

「靜如處子，動若脫兔！詳細地來說，首先就是要擺好Pose，凝神靜氣，不要用眼睛緊緊地盯著敵人的劍，而是用心靈去感應劍氣，這樣即使在昏暗的夜晚，也覺得如有太陽照耀一般明亮。第二，讓敵人先發招，尋找其劍招中的破綻，然後一舉出擊，迅若騰兔，後發先至，招招緊跟，如影隨形，縱橫往來，目不及瞬，而破敵於無聲之中。這，就是劍術的最高境界。」

句踐鼓掌道：「說得好！說得太好了！可惜，說得再好聽，寡人沒有親眼所見，還是不信。」

范蠡忙道：「阿青姑娘的劍術，微臣親眼所見，確實高明無比。大王可速聘其教導我軍劍術，莫再遲疑。」

句踐歎道：「范大夫，寡人不是不相信你，只是你來得太晚了，寡人已經任命了猿劍門掌門人袁公爲我軍劍術總教頭，可不能輕易反悔。」

范蠡心中一驚，袁公？難道就是那個天下第一高手袁公？聽說他的猿劍門弟子都是些能舞雙劍的大白猿，每逢出戰，自己不動手，手下的白猿就不知道打敗多少成名已久的武林高手。不過，也聽說，他跟唯一的人類弟子孫武鬧翻後，就隱居在南海之濱，至今已五十餘年，難道現在也不甘寂寞出山了？

阿青咯咯笑道：「這簡單，叫那個袁公公出來跟本姑娘較量一下，誰輸了誰滾蛋，不就得了？」

「老夫叫袁公，不叫什麼袁公公。妳這個小妮子好生無禮，看來我不教訓妳一下是不行了！」殿外緩緩走來一個老翁，一身白衣，身背雙劍。

阿青一看來人，忍不住笑出聲來。這個袁公滿臉白毛，小眼睛，雷公嘴，活脫脫就是一人猿泰山嘛！

「猴子，好可愛的猴子……」她走到袁公面前，就要摸他臉上的毛。

袁公大怒，一聲猿嘯，拔出身後雙劍，攛向空中，聳身一跳，堪堪接住，藉著風勢，朝阿青猛攻而去。果然是天下第一高手，舞起漫天劍影，環身電飛，光圓若月。

大家正要鼓掌叫好，突見劍影散去，袁公垂頭喪氣地呆立當場，手上的雙劍不知何時已到了阿青的手裡。全體靜默，鼓掌的手揚在半空，個個有如泥塑。不是吧！天下第一高手，竟然一招就敗下陣來？

阿青把那兩把寶劍隨手一扔，拍了拍手說：「舞得不賴，還算是個高手，可惜Pose第一，反應太慢。若在速度方面再花個五十年工夫……」

袁公急道：「怎樣？」

「就能趕上我的一半了。」

眾人狂暈。袁公頓時羞愧難當，拜服在地：「尊駕劍術無雙，遠在老夫之上，我輸得心服口服，願拜您爲師，終身服侍左右。」

阿青拍掌笑道：「好耶！沒想到我今天一下子收了這麼多徒弟，開心……」

群臣這時才回過神來，雷鳴般的掌聲響起。

范蠡也覺與有榮焉，忙說：「恭喜大王，有此女教導我軍士，我軍定能以一敵百、以百當萬，縱橫江湖，無敵於天下矣！」

句踐連連點頭，臉上露出狂喜。運氣來了，真是擋也擋不住！一個西施、一個阿青，一個是天下第一的美女，一個是天下第一的劍客，我越國兩個女人，就足以置吳王於死地了，天助我也！

阿青又道：「這算什麼？我這點本事比起我師兄陳音，差遠了！」

「啥？還有劍術比妳更厲害的？不是吧！」句踐喜不自勝，仰問蒼天：老天爺，你不要一天給我這麼多刺激好不好？慢慢來嘛！

阿青卻搖頭道：「我師兄不懂用劍，他的本事是射術，弓弩之術。」

諸暨郢忍不住插嘴了：「弓弩之術？太好了！吳越的步兵一向擅長短兵肉搏，遠距離射術正是軟肋。當初吳王闔閭入侵楚國、吳王夫差攻打齊國，都吃了齊楚弓弩部隊的大虧。要是我們能訓練出一支強大的弓弩部隊，定可給吳軍以沉重的打擊。」

句踐忙道：「那還等什麼？妳師兄住在哪裡？寡人親自去請！」

4 弩霸天下

木弓的威力在楚蠻和東夷處發揚光大，從楚國的弧父到東夷的后羿逢蒙師徒、神射手養由基、楚靈王熊圍，一代一代，到了陳音，終於研發出成熟的裝備。

我們都知道，弓弩兵是冷兵器時代重要的兵種之一。

不管是春秋時代戰車上手持長弓的車左，還是戰國時代無敵於天下的秦國弩騎，或是三國時代蜀漢發明的諸葛弩，還有宋代大顯神威的床弩，都因其殺傷距離遠、面積大，而在戰爭中發揮極其關鍵的作用。

春秋末年，正是弩機開始大規模應用於戰爭的時期，讓它在越國全面推廣的首席功臣，就是下面要講的這位陳音。

據陳音說，弩機是從木弓演變而來的，木弓又是從彈弓演變而來的，而彈弓的發明，起源於遠古時代的一個大孝子。

傳說在遠古時代，有個孝子的父母死了，他十分悲痛，將父母的屍體用白茅包裹，投於荒野之中（當時還沒有發明土葬），卻又怕他們的屍體被鳥獸吃掉，於是發明了一把彈弓，守護在旁邊，鳥獸一接近，便一發子彈過去，既保住了屍體，又有野味吃，一舉兩得。

接著，就出現了這麼一首遠古歌謠：斷竹，續竹，飛土，逐肉！翻譯成白話，意思是：砍斷竹子，接起竹子，做成彈弓，飛出泥彈，射中獵物，衝上前去吃野味！

這是中國歷史上最早的一首詩歌，恐怕也是世界上最短小精幹的一首詩。短短八個字，涵義無窮，漢語果然精妙無比，

再後來，咱們的老祖宗黃帝根據彈弓的原理，「弦木爲弧，剡木爲矢，弧矢之利，以威四方」，從而發明出木弓木箭。

再再後來，木弓的威力在楚蠻和東夷處發揚光大，從楚國的弧父到東夷的后羿、逢蒙師徒，再到楚國的琴氏，又到「沒金飲羽」的楚國先祖熊渠和他的三個兒子，一直傳到楚莊王時代的神射手養由基、楚靈王熊圍，一代一代，到了陳音這一代，終於研發出成熟的弩機裝備。

弩機，相較於木弓，長處顯而易見。

第一，弩機張弦依靠機械的力量，所以比拉弓時間短，而且節省體力，能在同樣的單位時間內射出更多的弩箭，從而彌補比弓箭射程短的缺點。

第二，弩機有瞄準器具（望山），比弓箭射得更準。

第三，弩機有分銖刻度，可以調整發箭的距離，靈活性優。

第四，弩機張弦幾乎不需要什麼力氣，所以一般的士兵都能勝任，不比弓箭手，還需要長時間的拉弓訓練。

正因為這些優點，弩機在現代戰爭特種兵作戰時也被廣泛應用，沒有像弓箭一樣，淪為一個純粹的運動比賽項目。

陳音又說，使用弩機的方法跟射箭類似，都要站如青松，挺胸抬頭，腳成丁字步，左手若附枝，右手若抱兒，舉弩望敵，屏息靜氣。扣動扳機時，全身除了手指，其他地方一概靜如泰山。箭發氣出之後，精神還定在弩機上，意識已經跟著弩箭射入了敵人的心臟。恩師曾教授連弩之法，三矢連續而去，鳥不及飛，獸不及走，人不能防。王若不信，可在城北建一射浦，陳音願盡悉以教國人。

句踐聽了這一通長篇大論，心中大喜，看來此人的確是個會家子，我五萬越軍，當可無敵於天下矣。

事不宜遲，他立馬任命越女阿青爲越軍劍術總教頭，袁公爲副教頭，負責全軍的劍術訓練工作。任陳音爲越軍弓弩總教頭，主抓越國的弓弩製造和越軍的弓弩兵建設。又命范蠡加緊對西施的才藝訓練，儘快將這塊糖衣炸彈送到夫差身邊去。

吳越大戰來臨的最後時刻，句踐很忙，忙得很充實。所有的事態都在朝正確的方向發展，夫差這隻大螞蚱，沒幾天好蹦躂了。

說句題外話，《吳越春秋》裡記載的這個袁公，在各種神怪小說和武俠小說裡並不是一個人，而眞的是一隻猴子。

比如《三國演義》的作者羅貫中先生的另一代表作、神怪小說《三遂平妖傳》，就說那袁公本是楚國中多年修道的一隻通臂白猿，在楚共王校獵荊山時連接了一十八枝御箭，共王大怒，宣楚國神射手養由基來射他。白猿知道養由基厲害，嚇得一溜煙走了，從此躲入雲夢山白雲洞中，潛心修道，後來被玉帝封爲白雲洞君，看守九天玄女（**此書還說越女阿青乃九天玄女下凡**）的仙術秘笈，想像力眞是夠豐富的。

三個月後，山陰城南的南林。

一座別致的小院背山而建，院前一條潺潺的小溪，清澈見底。滿天晚霞，映在溪水裡。溪旁的幾株楓樹，紅葉滿枝，秋意正濃。

小橋流水，一輪艷紅的夕陽，照著一群佩劍的武士。他們不是別人，正是越女阿青和她的九個徒弟袁公、阿大等人。

阿青率先推開院門。落日的餘暉下，一個白衣少年正扛著把花鋤，在一片雪白的菊花叢中忙活著，口中吟道：

結廬在人境，而無車馬喧。
問君何能爾？心遠地自偏。
采菊東籬下，悠然見南山。
山氣日夕佳，飛鳥相與還。
此中有真意，欲辯已忘言。

阿青歡快的叫聲打破了山野的寧靜：「老師，阿青回來啦！」

那白衣少年從花叢中探出個頭來，微笑道：「這次出門三個月，好玩嗎？」

阿青急速跑到那少年身旁，一把挽住他的手，歡笑道：「好玩！好玩得緊！我還收了一幫徒弟呢！怎麼樣？從前我都是當您的徒弟，現在我也成老師了，嘿嘿！」

少年道：「先別管妳的徒弟，師兄陳音呢？」

阿青突地面色轉悲，臉上滑下兩行熱淚，淒然道：「師兄他病死了，越王把他葬在山陰城外西南四里的山上，並改稱那山爲『陳音山』……」

少年將她攬入懷中，安慰道：「別哭了，這是他的命數，我也沒辦法改變……對了，妳師姐夷光好嗎？她不會還在怪爲師吧！」

飄揚的楓葉落下，落紅陣陣，似血淚點點，帶著紛亂的秋意，灑在他們頭上，灑在花叢中，也灑在悲傷的溪水之中，流向遠方。

阿青道：「西施師姐當然還在怪你！你爲何不帶她一起走呢？聽說她最近就要起程去吳國了。想起師姐就要遭到夫差那個老頭子的凌辱，阿青好傷心……」

少年一聲長歎，強忍淚水，喟然道：「妳道爲師想讓她去吳國嗎？我心中的痛苦，只會比妳多，不會比妳少。可是，我只能參與歷史，不能改變歷史。這，是我此生最大的悲哀……」

阿青一愣，老師說的好些話她都聽不懂，從小就是如此。

這時，袁公等人走了過來，稽首行禮道：「徒孫參見師公。」

少年笑道：「乖！阿青，這就是妳收的幾個徒弟？」

阿青抬起頭來，臉上還掛著淚，眼中卻透出喜悅的光芒：「是啊！這些就是我的九個徒弟。以後有這麼多人服侍，好多事兒您就不用再親自動手了。」

少年笑道：「妳這個鬼丫頭，年紀一點點，倒收了這麼多老頭子當徒弟，羞也不羞？」

阿青咯咯地笑。阿大插嘴道：「這有什麼？有本事不在年紀大！我們本也以爲師公很老，沒想到這麼年輕！」

袁公也道：「是呀！師公年紀輕輕，劍法、箭術都如此厲害不說，文采居然也極好。剛才那首詩，簡直比《詩經》裡的詩還厲害。」

少年笑：「這詩可不是我作的，我怎敢貪天之功？不過，這詩的作者我倒蠻熟，從前經常在一起喝酒聊天。」

袁公道：「即使如此，師公也絕對是個蓋世奇才。只是不知師公爲何要我等不辭而別，和你一起離開越國？想那越王，對我等也不錯。」

少年道：「句踐此人陰險善謀，只可共患難，不可同富貴，還是早點離開他爲好。再說吳越之戰迫在眉睫，我可不想讓你們去送死。魯國的孔丘前些年邀請我去爲他的學生講課，我答應他很久了，卻一直沒有履約，正好趁此機會走一遭。」

袁公道：「好！我們都聽您的，師公的話，想來絕對是不會錯的。哦！對了，師公尊姓？徒孫們還不知道呢！」

少年笑道：「化外之人，無名無姓，你們若非要知道，就叫我江湖閑樂生吧！」

第13章

江山美人

六月二十二日，越王句踐盡占姑蘇外城，將太湖上的吳水軍大小船隻，連同夫差給西施造的特大遊艇，一齊繳獲，又放一把大火將姑蘇台、館娃宮燒成灰燼，火勢沖天，數月不熄。

1 暴風雨前的寧靜

夫差自從迷上西施，也對土木工程燃起了濃厚的興趣。還經常開遊艇到太湖裡乘風破浪，避暑消夏——我們的夫差老小夥兒，真是懂得享受生活呀！

西元前四八四年這個多事之秋總算是過去了，歷史翻開新的一頁，來到西元前四八三年。這一年天下基本沒有大的戰事，很和諧，很平靜，平靜得有些可怕。

這年春天，草長鶯飛的季節，范蠡帶著西施、鄭旦來到吳國，轟動了整個姑蘇城。一片香風入姑蘇，從此吳女無顏色。夫差見了西施，還以爲神仙下到凡間，不禁神魂俱醉，那個開心哪：「范大夫，你們越國的美女果然名不虛傳，我宮裡上上下下所有女子，跟她一比，全都變得慘不忍睹啦！」

伯嚭也流著口水說道：「大王說得沒錯。我伯嚭見過婦人萬千，從不曾見這樣娉婷嫋娜的。范大夫，你們都是好人，若像我伯嚭，留在本國自己受用就好，怎肯送與別人呢？」

范蠡心如刀割，嘴上卻道：「大王在上，寡君句踐承蒙大王深恩，無以爲報，這幾個美人，又怎敢吝惜呢？」

夫差連連點頭：「嗯，句踐的忠心，寡人是知道的。伍子胥那個老兒，若是現在還活著，一定又要說些煩死人的怪話，好在寡人已經將他殺了，沒人在耳旁聒噪，還眞是爽啊！」

他走下王座，來到西施面前，托起她驚人的美麗臉龐，讚道：「眞是天生尤物，我見猶憐。有妳陪在寡人身旁，寡人就是沒了霸業，也無半點遺憾。走吧！隨我入宮，今晚就是我們的洞房花燭夜……」

說著，他拉起西施就往裡走，口中唱道：「我爲人性格風騷，洞房中最怕寂寥，今娉婷到臨，我一生歡樂，鎮朝昏放她在懷抱，咿呀喲……」（明．梁晨魚《浣紗記》）

范蠡目送著，想起西施今晚就要在夫差懷中強顏歡笑，完璧不保，不由咬碎銀牙，忌妒成狂。

一夜癲狂，夫差愛極西施。爲了讓自己這遲來的愛情更甜蜜，他命王孫雒在姑蘇山，也就是今天被譽爲「浙江第一壯觀」的靈岩山上，離姑蘇台不遠處（這一年，姑蘇台恰好擴建完成），又建起一座美輪美奐，規模宏大的離宮，名曰館娃宮（娃，吳人對美女的稱呼）。

宮內銅勾玉檻，飾以珠玉，樓閣玲瓏，金碧輝煌，且種滿了鬱鬱蔥蔥的梧桐樹，故又名梧宮。這是中國歷史上第一座比較完備的早期園林，後來蘇州人那麼喜歡建園林，看來都是跟夫差這個老祖宗學的。

別看夫差像個大老粗，其實他挺浪漫的。西施喜歡跳舞，他就建了一個「響屧（古代鞋中的木底）廊」，即命人將館娃宮的長廊下面全部鑿空，再埋下數以百計的大缸，上鋪木板，讓西施穿木屐起舞，裙繫小鈴，跳起來，鈴聲和大缸清朗的聲音「錚錚嗒嗒」交織，繁音促節，像歡樂的錦瑟，又像清和的瑤琴，彷彿世間最美妙的音樂。

梧桐夜雨，幽宮響屧，好不浪漫。夫差向我們證明了，一個男人沉浸在愛情之中時，能夠爆發出驚人的創造力與想像力。

吳國滅後，館娃宮和響屧廊被越人的大火燒成一片灰燼，後來東晉時陸遜後裔司空陸玩，曾建宅於靈岩山館娃宮舊址，後捨宅爲寺，靈岩山遂爲佛教勝地。現在這裡的好多景點，還流傳著有關於西施的美麗傳說。

有個浣花池，據說是給西施泛舟採蓮的，還有個玩月池，是給西施賞月用的。傳說這兩個池雖逢大旱，水也不會乾涸。池中曾產過蓴菜，夏季吃了可以去熱，秋季吃了卻又可以去寒。

有個吳王井，聽說是西施照容理妝用的。因爲夫差經常站在旁邊，親自給她梳頭，故以此爲名。宮內最高處還有個琴台，可飽覽太湖風光，是西施操琴的地方。

靈岩山南又有個採香涇，專爲西施去香山採種香草之用，且因是依據吳王一箭所射的方向而開鑿，又名「一箭河」。

就像大家結了婚以後，總想蓋個別墅、買個小車一般，夫差自從迷上西施，也對土木工程燃起了濃厚的興趣。姑蘇台、館娃宮並不能滿足他可怕的慾望，他又命人在姑蘇城中挖出一個大湖，湖上佈置錦帆，或者說遊艇，經常和西施在上面開派對，故名之爲「錦帆涇」。又建了個魚城養魚，建了個鴨城養鴨，建了個雞陂墟養雞，建了個酒城造酒，還經常開遊艇到太湖裡乘風破浪，避暑消夏——我們的夫差老小夥兒，眞是懂得享受生活呀！

唐《述異記》載：吴王夫差築姑蘇之台，三年乃成。周旋詰曲，橫亙五里。崇飾土木，殫耗人力。宮妓千人，上別立春宵宮，為長夜之飲。造千石酒盅。又作天池，池中造青龍舟，舟中盛陳妓樂，日與西施為嬉。

可憐一朵國色天香的鮮花，插到了夫差這塊老牛糞上，眞是紅顏薄命。還是那句話：每當看到歷史上這些老牛吃嫩草的故事，我就忍不住想吐。

不過，夫差說自己有了西施，連霸業都可以放棄，完全是哄人開心，一時衝動之語。國家大事和男女私情，他還是分得清楚的。西施的作用，不過是消耗些吳國的民力錢財，吳國的滅亡，可不能全算在她頭上。

對此，魯迅先生有一段宏論：「我一向不相信昭君出塞會安漢，木蘭從軍就可以保隋，也不相信妲己亡殷、西施沼吳、楊妃亂唐的那些古老話。我以爲在男權社會裡，女人是絕不會有這種力量的，興亡的責任，都應該由男的負。但向來的男性作者，大抵將敗亡的大罪推在女性身上，這眞是些一錢不值，沒有出息的男人！」

夫差在開心了一陣子後，又開始琢磨起自己的霸業了。

這一年初夏，他在槖皋（吳邑，今安徽巢縣西北柘皋鎮）會見魯哀公，並派太宰伯嚭要求「重溫」過去的不平等盟約，其實不過是變相地勒索保護費罷了。

哀公不肯出血，遂派子貢去跟伯嚭交涉。

又是這個子貢！一言能退十萬雄師的牛人。

伯嚭有點怕子貢，惴惴地說：「重溫盟約，是爲了相結友好，共謀大業。這互惠互利的好事，端木大夫這回不會再有異議吧？」

子貢說：「如果兩國都是講信用的君子，那麼盟約不重溫也是熱的，否則，即使重溫也很快會涼掉。貴國又何必多此一舉呢？」

短短一句話，又讓伯嚭無言以對。便宜沒佔成，反而丟了霸主的面子，夫差鬱悶。魯國的便宜沒撈著，改打衛國的主意。衛地處中原腹地，是晉國的屏障，搞定它就可以以此爲跳板，與晉國爭霸。

於是在這一年秋天，夫差又約衛君前來鄖地會盟，試探衛國的反應。

衛國的君主是衛出公輒，當時只不過是一個不懂事的小孩兒，而且還是個被奶奶衛靈公夫人南子扶上大位的傀儡國君，沒啥主見。就算有，也沒辦法自己做主。

參不參加這次國際會議呢？這是擺在小屁孩衛出公和衛國群臣面前的一個大難題，因爲前段時間，衛國在晉國的壓力下，殺了吳國的來使「且姚」。這個當口，吳國人叫衛君去開會，恐怕不懷好意。

一個叫子羽的大夫說：「主公千萬別去，吳國人不講仁義，去了怕有危險！」

一個叫子木的大夫說：「還是去吧！吳國是條瘋狗，咱們若是不去，惹惱了，被咬成狂犬病，豈不是死得更慘？」

經過一番辯論，衛國人最後還是決定讓衛出公去參加這個鴻門宴，不過這一耽擱可不得了，衛出公遲到了。

夫差很生氣，後果很嚴重。他派兵將衛出公的賓館圍了起來，堅決不放人。

關鍵時刻，又是子貢跳出來主持正義。他雖然在魯國當官，卻是個正宗的衛國人，和衛出公還有點親戚關係。衛君被辱，於公於私，他都不能坐視。

他帶了五匹錦布，去找伯嚭斡旋。

伯嚭很鬱悶，怎麼又是這傢伙？從前老是栽在此人手裡，這回不管怎地，絕對不能放人，面子比較重要。

子貢看了眼這個「老冤家」，先發制人：「衛君依約而來，貴國為何要留住他不放？這恐怕不是霸主該有的行為吧！」

伯嚭板著臉道：「不是我們不肯放人，只是衛君來晚了。小學生上課遲到都要罰站，何況是一國之君？」

子貢搖了搖頭，說：「不對不對！你們只看衛君來晚了，卻不想想他為什麼來晚。那一定是衛國內部，有人反對他與貴國交好。即使如此，衛君最終還是來了，這說明他把你們當朋友。所以說，衛君是你們的朋友，反對他來的人，則是你們的仇人。現在你們不但不禮遇衛君，反而軟禁他，豈不是讓親者痛仇者快？太宰是個聰明人，不會做這種蠢事吧？」

伯嚭趕快澄清：「當然，本大人當然是個聰明人。來人啊！放人！」

就這樣，伯嚭又一次掉進了子貢挖的坑裡，乖乖地放人。

衛出公這小孩也挺好玩的，少年不識愁滋味，在吳國被扣留了幾個月，幼小的心靈不但沒有受傷，反而學了一口流利的吳國話回來，上朝跟大臣開會的時候，時不時地冒出幾句江蘇話，聽得大家一愣一愣的。

有個叫子之的大夫，見衛出公如此懵懂幼稚，沒個國君的樣子，當下斷言道：「主公這麼喜歡學鳥語，恐怕總有一天會死在夷人那裡。」後來，衛國發生政變，衛出公流亡，果然死在了越國。

扯遠了，咱們回過頭來說夫差。

他這個時候很鬱悶：連強大的齊國都不是寡人的對手，為什麼中原幾個小國還是這麼不聽話？難道是寡人人品不行？

不！寡人的人品如此完美，他們不聽話，絕對另有緣由。

這個緣由，一定就是晉國，因為晉國是他們的老主子。

所以，寡人要想當上貨眞價實的霸主，得先把晉國搞定。

天無二日，國無二君，同樣，這個時代只能有一個偉大的霸主，而這個霸主，只能是寡人——天命所歸的吳王夫差！不管是越國、楚國、齊國，或者是現在的晉國，都將是寡人霸主寶座下的小石子兒，就算是周天子，也將如此，哼！

西元前四八二年，夫差又重新步入北進中原、與諸國爭霸的老路子，廣徵民工，開挖了第二條運河，東起泗水南岸的湖陵（今山東魚台縣北），西到與黃河岔道濟水相連的菏澤，這樣吳國的軍隊便可以從淮水北溯泗水，再通過運河，循濟水直達中原腹地。因爲運河水源來自菏澤，故稱菏水。

泗、濟兩水相距並不遠，所以這個工程很快就完工了。這一年夏天，雄心勃勃的吳王夫差正式決定率大軍沿邗溝、菏水北上，經過宋、魯二國的地界，去參加在黃池（今河南封丘縣南）舉行的諸侯盟會，趁機搶班奪權，與晉定公爭奪天下盟主之位。

夏天穀物還沒有成熟，偏選在缺糧的時候用兵，眞是一大失策！

晉國是春秋老牌列強，在中原盟主這個位子上也坐了數百年了，實力非同小可。夫差不敢掉以輕心，遂傾全國精兵北上，只留下太子友、王子地、王孫彌庸、壽於姚等率不到一萬吳軍，守衛國都姑蘇。

如此荒謬而不顧後果的軍事行動，遭到很多人的反對，可是誰都不敢在這個時候批評夫差，伍子胥的死把大家的稜角全磨光了。

沒人站出來，太子友只好自己出馬了。老子再兇，也不至於凶到殺兒子吧！

但爲了保險起見，太子友還是選擇了一個比較委婉的進諫方式，通過一個「螳螂捕蟬，黃雀在後」的寓言，暗指夫差這隻螳螂要小心句踐這隻黃雀。

這個故事其實並不新鮮，一百年前楚國名相孫叔敖就跟楚莊王講過了，當時楚莊王聽了勸諫，才沒有在準備尚未充分的情況下攻打晉國。可是夫差不是楚莊王，他沒有那麼虛心，更沒有那樣的雄才大略，完全聽不進太子友的勸諫，仍舊一意孤行，非要冒險去嚐嚐當中原霸主的滋味。

貪心不足蛇吞象。夫差那膨脹得有點可怕的野心與自負，是吳國迅速崛起，又迅速衰亡的根源。所謂數戰則民疲，數勝則主驕，以驕主使罷民，而國不亡者，天下鮮矣。不管多麼強大的國家，都無法經受起這麼頻繁的戰爭與擴張。強似從前的晉文、楚莊都不敢，更何況是基礎還不甚穩固的吳國？國雖大，好戰必亡。

其實，所有強大的帝國在走上軍國主義道路後，都無法避免曇花一現的結局，秦帝國、波斯帝國、馬其頓帝國、隋帝國、元帝國，莫不如是。

歷史告訴我們，國家領導人沒有雄心壯志並不可怕，只有雄心卻沒有雄才，才是一件眞正危險的事情。

2 春夢一場

六月二十二日，越王句踐盡占姑蘇外城，將太湖上的吳水軍大小船隻，連同夫差給西施造的特大遊艇，一齊繳獲，又放一把大火將姑蘇台、館娃宮燒成灰燼，火勢沖天，數月不熄。

夫差率大軍北上的消息傳到越國，句踐一蹦三尺高，馬上召集群臣商量滅吳大計。

句踐說道：「諸位，夫差這小子老實了一年，終於坐不住要去跟晉國爭霸主了。如今，吳國的精兵大都已隨夫差北上，國內空虛，此乃天賜良機，我們也應該跟吳國正式攤牌了吧！」

文種說：「十年過去了，伍子胥死了，我們也兵精糧足，弓強馬肥。越國不再是從前的越國，吳國也不再是從前的吳國。越國再也沒有必要繼續做吳國的附庸，也不用再做吳國人的奴才。打吧！我贊成！趁吳國國內空虛，攤它一道！只是伐吳之前，當先搞個公投，一則可以體現民主，二則可以體現討伐吳國的正義性——只有老百姓跟我們一條心，我軍方可戰無不勝。」

句踐轉過頭，又問范蠡：「范大夫，你怎麼看？」

范蠡道：「我基本同意文種大夫的意見，打是一定要打的，但什麼時候動手，還要慎重考慮。現在吳國大軍剛剛離開邊境不遠，如果得知我們乘虛偷襲，隨時可能掉頭增援，咱們不如等夫差到了黃池再出兵。」

句踐點頭道：「范大夫言之有理，那咱們就暫緩出兵，先搞個公投再說。」

春秋時代，國家體制剛剛形成，還保有大量的氏族殘餘，很多國家，尤其是小國，在實施關係國家命運的重大決策之前，都要召集國人投票表決。不過，這個「國人」指的只是貴族和自由人，奴隸不包括在內，這一點，要和現代民主嚴格區分開來。

據《吳越春秋》記載，越國這次「全民公投」進行得異常順利。老百姓們顯然把句踐的仇恨當成了整個越國的仇恨，苦苦哀求句踐一定要去攻打吳國。他們說：「當年夫差使我們大王蒙受恥辱，長期被天下人恥笑。現在越國富得流油，大王卻勤儉節約，愛民如子，真是讓我們太感動了，請允許我們爲大王報仇雪恥！」

句踐心花怒放，卻還裝模作樣地推辭：「當年我遭受侮辱，都是寡人一個人的錯。像我這樣一個有不良記錄的國君，怎麼敢勞累全國人民爲我報仇呢？身爲一個愛民如子的國君，寡人不能這麼做。」

國人們又再次請求：「既然大王愛民如子，那麼國人就都是大王的兒子。兒子為老爸報仇，天經地義，又有什麼好質疑的？」

句踐見戲演得差不多了，開開心心地接受了大家的請求。

西元前四八二年六月的一個清晨，越王句踐起了個大早，來到了山陰城西北面的「飛翼樓」，今天他要在這裡舉行誓師大會，鼓舞士氣，大舉攻吳。

十年了，十年的「陰謀」終於可以轉為「陽攻」，十年的韜光養晦終於換來了晴空萬里，他心潮澎湃。

天氣很好，艷陽高照，萬里無雲，曉風輕輕地吹著，撫過每個戰士激動的臉龐。

越軍此時的士氣很強，因為越王句踐將山陰城外雞山和豕山養的每一隻雞和豬，以及獨婦山上每一個寡婦，都送給他們作慰勞品，真是太夠意思了。

句踐的心情也跟天氣一樣好，心想夫差此時一定在黃池跟晉國爭霸爭得不可開交，絕對不會想到，寡人現在就要在他背後狠狠地捅一刀，作為他即將榮任「中原霸主」的最好禮物。

視線緩緩劃過城樓下密密麻麻、漫山遍野的越軍方陣，這都是他越國的子弟兵，也是他臥薪嚐膽十年，辛辛苦苦積攢起來的全部老底——習流（水軍）二千人、教士

（訓練有素的正規軍）四萬人、君子（越王王族部隊，相當於近衛軍）六千人、諸禦（負責輜重的後勤部隊，也有人說是高級軍官）一千人，共約五萬精兵。他大聲地訓話道：「現在，吳王夫差坐擁重甲步兵（春秋時重甲，指的是水犀牛皮甲）十三萬，還嫌自己的兵不夠多，四處抓壯丁，搞得百姓苦不堪言，怨聲載道，上天是不會庇佑他的。是！我們的軍隊人數比他們少，武器也不如他們先進，但正義在這邊兒，天道在這邊兒，我們一定能夠勝利，所有帝國主義都是紙老虎！但是，我不希望你們逞匹夫之勇，而希望你們軍紀嚴明，進則思賞，退則避刑。只要大家心往一塊想，勁往一塊使，勝利就一定屬於我們！戰士們，用你們的鮮血，讓敵人心驚膽戰吧！」

城樓下傳來越軍山呼海嘯般的戰歌聲：

大王起義兵，壯士磨戈矛。

你我同仇恨，仇恨似火燒。

吳人再強橫，我軍如波濤。

揚起五湖水，翻江怒海潮！

此時此刻，句踐百感交集，吳國的三年囚徒生涯，在他眼前一幕一幕劃過，那些日子已一去不復返了，他的命運，將由自己主宰。

范蠡捧著一碗虎血，緩步走了上來，「啓稟大王，釁鼓的時辰到了。這，可是猛虎的鮮血。」

句踐接過虎血，大笑道：「好！以虎血釁鼓，更加令人勇壯。」群臣與所有士兵齊刷刷跪下。句踐捧碗過頂，舉了三舉，祝告：

擊鼓蓬蓬，外禦強兇，
赫赫威武，六軍之雄。
擊鼓蓬蓬，且擊且攻，
聲威烈烈，殲彼元戎。

——曹禺《膽劍篇》

朗誦完畢，將虎血灑在鼓上，他振臂高呼：「擊鼓！發兵！」

老虎終於收起假笑，亮出滿嘴寒光四射的獠牙，朝主人撲去。

西元前四八二年六月十一日，越王句踐對吳國發動了襲擊，五萬大軍兵分兩路：一路由范蠡和曳庸率領，沿海岸上行至淮河，切斷北上吳軍的歸路；另一路由越軍先鋒疇無餘、謳陽率領，從吳國南境直逼吳都姑蘇城。

螳螂身後的黃雀終於行動了。

太子友聞報大慌，忙和部將王子地、王孫彌庸、壽於姚等人率軍從胥門出城，乘舟至泓水（今江蘇蘇州橫山越來溪）觀察敵情。

王孫彌庸一眼望見從前他父親被姑蔑人（姑蔑，今浙江衢縣龍遊鎮。據專家考證，姑蔑族當為臣服於越國的一個部族）俘殺後奪去的旗幟，大怒道：「殺父之仇不共戴天，我要去跟那些姑蔑人拚了！」

果然是一段復仇的歷史，連沒多少台詞的小配角都有一段辛酸的往事。

不過，姑蘇留守軍總指揮太子友不同意，「敵眾我寡，不可輕戰。我們還是堅守城池，等父王率大軍回來再報仇也不遲。」

太子友這個決策，是吳國守軍目前最正確的選擇。姑蘇城乃伍子胥當年苦心營建，城堅池固，在缺乏有效攻城武器的春秋時代，守上一年半載，絕對沒有問題。再等到夫差從黃池回來，內外夾擊，吳越雙方鹿死誰手，猶未可知。

可惜王孫彌庸此時已被仇恨蒙住了雙眼，不顧太子友的勸告，私自和好友王子地帶了五千部曲貿然出擊，於六月二十日和越軍先鋒隊在姑熊夷（今蘇州市西南橫山附近）展開激戰。

在吳國的鐵蹄下忍辱負重了十二年之久的越國，終於反噬了。兩國壓抑了多年的敵視與仇恨，集體爆發！

第一戰，吳國人的仇恨占了上風，王孫彌庸大敗越軍，疇無餘、謳陽兩個先鋒官均遭擒獲，吳軍大喜，上下籠罩在一片輕敵的可怕氣氛之中。

太子友見狀，心想原來越國人也沒有那麼可怕，也許不用等父王回來，我就可以輕鬆搞定他們。

太子友錯了，先鋒疇無餘的姑蔑部隊，並不能代表越軍的實力，他們只不過是句踐臨時拉來壯聲勢的雜牌軍。

第二天，越王句踐親率的中軍主力逆江（即吳淞江）來到姑蘇城外，太子友不再堅持從前堅守待援的保守戰法，只派王子地守城，親率一萬吳軍出擊。

結果，太子友遇到了真正可怕的對手，一仗打下來，全軍覆沒，他和他的兩個副將王孫彌庸、壽於姚被越國人擒殺。

六月二十二日，越軍在消滅吳國留守部隊主力後繼續前進，直逼姑蘇城下。姑蘇守將王子地手中的兵力一千不到，不敢應戰，一面當縮頭烏龜，一面派人趕緊去向夫差告急。

越王句踐盡占姑蘇外城，將太湖上的吳水軍大小船隻，連同夫差給西施造的特大遊艇，一齊繳獲，又放一把大火將姑蘇台、館娃宮燒成灰燼，火勢沖天，數月不熄。

沖天的大火，就是越王句踐心中熊熊的復仇烈火。當年，吳王夫差就是在這姑蘇台上，對自己頤指氣使、百般凌辱。這個傷心地，是他心中永遠的痛，只有一把火燒了，才能稍稍平息。

老虎的獠牙終於刺進了主人的肌肉，鮮血與流涎滴滿地。

兩代吳王爲了彰顯功業而興建、凝結了無數吳國百姓智慧與生命的偉大建築——姑蘇台，就在句踐那扭曲變態的仇恨心理下付之一炬。它短暫的存在，見證了吳國的崛起，也見證了吳國的衰亡。寫到這裡，我似乎能聽到它在烈火中的哭泣。

姑蘇台、阿房宮、圓明園……爲什麼？爲什麼？當勝利者踏上失敗者的土地，都要將對方的宮殿樓台付之一炬？他們不知道這是對人類文明的一種野蠻踐踏嗎？爲什麼？爲什麼？這個世界上，那麼多偉大的建築都毀滅在兵燹與戰火之中？爲什麼？爲什麼？那麼多偉大的遺跡，遺失在了漫漫的歷史長河之中？難道人性的根源，就是隱藏在文明外衣下的野蠻本質？

悲劇啊悲劇，悲劇就是把美好的事物毀滅給人們看。這不但是歷史的悲劇，更是人性的悲劇。

3 爭盟

晉國人聽到巨響，以為地震了，一個個穿著小褲衩就跑了出來，看到眼前旌旗飛舞，如火如荼的情景，全嚇傻了。搞什麼東東，吳國人在開搖滾演唱會嗎？

姑蘇台、館娃宮被句踐燒成灰燼的同時，吳王夫差還懵然不知自己的老窩被人端了。他迎著一片朝陽，興高采烈地來到黃池，廣發英雄帖，舉辦天下武林大會。

黃池這個地方老有名了，周朝的傳奇人物，超級旅行家周穆王，就曾經在這裡開過派對，還爲其專門寫了一首原創歌曲：「黃之池，其馬噴沙，皇人威儀。黃之澤，其馬噴玉，皇人受穀。」黃池之名，即源於此。

看來，這是個產馬的好地方。

黃池先前也舉辦過兩屆諸侯盟會，盟主都是晉國人，一個是曾與楚莊王爭霸天下的晉景公，一個是晉當前國君晉定公的爺爺晉昭公。

看來，這是個開大會的好地方。

就因爲如此，很多武俠小說家都把這裡當成舉辦武林大會的最佳所在，比如說古龍先生的小說《名劍風流》。

如果你覺得武林盟主太遜，咱們還可以搬個皇帝出來，宋太祖趙匡胤就是在這裡被「強逼」著黃袍加身，當了皇帝的。

看來這是一個代表權力的好地方。

夫差要在這個代表權力的好地方，登上權力的最高峰。可惜他的如意算盤並沒那麼好打，第一個不答應的，就是現任盟主晉定公。

晉定公派大夫董褐（《國語》稱董褐，《左傳》稱司馬寅，概同一人也，司馬乃其官位）說：「晉國當諸侯伯主已經好多年了，這次大會還是應該由我們主盟。」

吳王夫差派大夫王孫雒說：「不對，在周王室中，我們吳國才是長房，應該由我們主盟。」晉國的祖先叔虞是周文王的小孫子，吳國的祖先泰伯是周文王的大伯，輩分不知高出多少，故有此言。

晉國人還是不答應，雙方相持不下，吵了十幾天，都沒結果。

屋漏偏逢連夜雨，夫差正在爲爭盟一事鬱悶，更鬱悶的事情從老家傳了過來。王子地求援的使者送來密報，越兵已入吳境，太子陣亡，姑蘇台被焚，國都危在旦夕。

晴天霹靂！完了！完了！伍子胥的預言要應驗了，句踐那小子當真心懷不軌，關鍵時刻捅了我們一刀。

「怎麼辦？」夫差看著群臣，眼光定格在伯嚭身上。

伯嚭低頭不語，面如土色。

王孫雒突地站了起來，大聲道：「如今之計，當先殺了王子地派來的七個使者，封鎖消息。」

夫差陰沉著臉，口中吐出五個字：「殺！現在就殺！」

幾個親軍一擁而上，將七個可憐的倒楣鬼當場殺死。

王孫雒忙命親兵將屍體悄悄處理乾淨，這時夫差又補了一句：「此七人在此所言，敢洩漏者殺無赦！」

群臣伏地，顫慄無語。

夫差此時再也不信任伯嚭了，轉身對王孫雒說道：「句踐不講信用，趁寡人不在就搗亂。王孫大夫，你說，寡人是趕緊先回去，姑且讓他們來當盟主，還是儘快解決這裡的事兒？」

王孫雒道：「不能回去！要是就這麼走了，諸侯們馬上就會發現我們後方的危機，說不定還會和越國合作夾攻！」

「那我們留下來，讓晉國當盟主？」

「更加不可。晉國人當了盟主，行程就要聽命於他們。待久了夜長夢多，姑蘇城必將不保。」

「那怎麼辦？」

「留下來爭奪盟主之位，然後恃霸主之威，立刻回師，反擊越軍。如此，事情或許還有轉機。」

「可是晉國人寸步不讓，怎麼辦？」

「事在危急，容不得片刻猶豫。請大王立刻下令全軍厲兵秣馬，連夜向晉國人挑戰。晉國人嘴巴再硬，眞刀眞槍起來也怕死，咱們只要擺出拚命三郎的架勢，不怕他們不乖乖就範。這就叫置之死地而後生！」

夫差同意，於是在黃昏時發佈命令，讓士卒飽餐一頓。等到半夜，親率三萬名最精銳的吳國勇士，勒馬銜枚，舉著火把，連夜行軍。

三萬吳軍，每人右手持短劍，左手持犀牛皮大盾，結成龐大的步兵方陣，向前推進，景象極其壯觀。根據先秦史書《國語》的記載，這支天下聞名的步兵方陣，有著極為先進而規範的佈陣方式，可以和同時期的雅典長矛步兵方陣和波斯彎刀步兵方陣相媲美。

三萬步兵分爲三個萬人方陣，每個萬人方陣共一百行，每行一百人。每行的排頭有一名指揮官，名爲「官師」，一手抱著用於指揮的金鐸，另一手捧著所屬士兵的名冊。每十行再由一名下大夫率領，一手捧兵書，一手拿鼓槌，立在戰車上，負責擊鼓指揮進攻。每萬人方陣則由一將軍率領，其配備和下大夫相同，只是旌旗樣式規格更高一些。

再看武器裝備，中軍一萬將士穿白色戰袍，披白色盔甲，樹白色旌旗，帶著白色羽毛製作的箭，一望無際，如山野裡遍佈的白茅花。吳王夫差持鉞中立。左軍一萬將士穿紅色戰袍，披紅色盔甲，樹紅色旌旗，帶著紅色羽毛製作的箭，一望無際，如熊熊燃燒的火焰；右軍一萬將士穿黑色戰袍，披黑色盔甲，樹黑色旌旗，帶著黑色羽毛製作的箭，一望無際，如同烏雲蓋頂，黑壓壓一片，好不威風！

夫差這小子，還挺會擺酷的嘛！

三萬氣勢如虹的吳軍，在雞鳴時分來到晉軍營前，吳王夫差一聲令下，三軍金鼓齊鳴，士兵們開始發了瘋地搖旗吶喊，聲震四野，驚天動地。

晉國人還在夢中和周公下棋，聽到巨響，以爲地震了，一個個穿著小褲衩就跑了出來，看到眼前旌旗飛舞，如火如荼的情景，全嚇傻了。

搞什麼東東，吳國人在開搖滾演唱會嗎？哎呀，不是，他們要殺過來了！

晉國上卿趙鞅（趙簡子）趕緊命令全軍關好大門，堅守營壘，當縮頭烏龜。

過了好一會兒，看吳國人光喊不動，趙鞅才稍稍定下神來，派董褐去打探情況：「開會的時間不是定在中午嗎？你們怎麼這麼早就來了，還帶了這麼多兵來？不是要我們供應早飯吧？」

夫差親自回答說：「周天子派使者到吳國說，眼下王室衰微，沒諸侯進貢，日子過得緊巴巴，派寡人日夜兼程，來主持盟會，以團結諸侯，共同爲天子解憂排難。晉君卻違背了天子的命令，不講長幼的禮節，欺壓諸侯，破壞團結，致使盟會遲遲不能舉行，而讓寡人被天下人恥笑。寡人今日特地早早前來，在貴軍軍營外面聽取你們的決定。從與不從，見個分曉吧！」

說完，他把自己的六個親信侍衛叫進軍帳，說：「董大夫是貴客，咱們可不能怠慢，寡人欲以你們的六顆頭顱酬客，如何？」

侍衛首領少司馬茲大聲喊：「幸何如之！」說著，六人齊齊亮劍，刎頸自盡。

六顆熱血噴湧的人頭，頃刻間滾落在董褐席前。

董褐被濺了滿頭滿臉的鮮血，嚇得落荒而逃。

不可理喻！不可理喻！吳國人統統都是瘋子！瘋子！

董褐驚魂未定，回到晉營，將夫差的話如實彙報給晉定公，又跟趙鞅說：「貴族的臉色通常都是白裡透紅，與衆不同的。吳王雖嘴巴上強硬，還恐嚇我，臉色卻灰不溜秋很難看，一副憂心忡忡的樣子。或許越軍已經攻入了吳國，更或許吳太子友已遭不測。俗話說狗急亂咬人，咱們還是不要惹這條瘋狗爲好，不就是一個盟主的虛名嗎？讓給他好了！」

在此之前，越國與晉國早通過使者有了默契，董褐才會有此猜測。

趙鞅道：「你說的是沒錯，只是就這麼便宜了他，咱們豈不是很沒面子？」

董褐道：「當然不能就這麼白白答應他，至少要讓他去掉那可惡的王號。吳國小小蠻族，憑什麼稱王？」

趙鞅點頭，又派董褐去跟夫差交涉：「在姬姓諸侯中，確實貴國先祖的輩分最高，寡君可以做出讓步，讓您來當這個盟主。只是天子給貴國的正式爵位是伯，您卻僭越禮制稱了王。你們吳國是王，那周王是什麼？周室難道能有兩個王？」

「貴主是要寡人放棄王號嗎？」

「正是，咱們雙方各退一步。只要您肯放棄王號，而以吳公自稱，我們晉國就答應讓您先歃血，主持盟會，否則免談！」

夫差理虧，只得答應晉國的條件，退兵進入幕帳與諸侯見面，放棄了王號，稱

「公」，先歃血，晉定公稱「侯」，排在第二，其他大小諸侯依序盟誓，總算是把事情給了結了。

之後，夫差又派大夫王孫苟向周天子報功，周天子稱吳王夫差爲伯父，說他德行偉大，並祝他健康長壽，算是正式承認了諸侯霸主地位。

吳王夫差在形式上擺脫了南方蠻夷的身份，得償所願弄到了「武林盟主」的威名，收兵回國。

可是這個虛名又有什麼用呢？爲了它付出如此大的代價，値得嗎？

當然不値得，表面上夫差當了霸主，風光無比，其實他的處境非常危險。此時此刻，越國正在吳國的國境內大肆搶掠糧食、財貨、子民，把這些年貢獻出來的東西，連本帶利收了回去。至此，吳國元氣大傷，國力倒退了好幾十年。

更加糟糕的是，吳軍遠赴千里爭霸，所有糧草輜重都要靠邗溝、菏水兩條運河，從本土源源不斷運來，而今這兩條河道已被越軍封鎖，十幾萬大軍得不到後勤補給，吃什麼？喝什麼？都是大問題。

沒有糧草支撐的軍隊，人數再多，裝備再強，也不過是一堆狗屎，不堪一擊。

夫差無奈，只得在回程路過魯國時，厚著臉皮討要糧食。

魯國人從前沒少被吳國欺負，現在見吳國人有難，當然百般推託不肯給。好在吳國有一個叫申叔儀的大夫，和魯國大夫公孫有山是舊相識，夫差便派他去借糧，希望他能看在過去的情分上，幫兄弟一把。

申叔儀見了公孫有山，深情地唱道：「佩玉蕊兮，餘無所擊之。旨酒一盛兮，餘與褐之父睨之。」意思是：佩玉垂下來啊，我沒有地方可住；甜酒一杯啊，我和貧苦的老頭斜視著流口水。

公孫有山很想幫好朋友，卻又怕擅自借糧，被上司責罰，便說：「細糧已經沒了，粗糧還有一些。這樣吧！今晚你偷偷登上首山，大聲喊『庚癸』，就會有人來給你送糧食了。」

解釋一下，庚者，西方也，主穀；癸者，北方也，主水。爲怕別人發現，公孫有山就跟申叔儀約定，以「庚癸」作爲借糧的接頭暗號。

丟人哪丟人！不可一世的吳國人，怎麼會落得如此地步呢？這真是世界上最可憐、最遜的霸主了。

吳國人總算是有了點粗糧填飽肚子，接著往南走。來到宋國，糧草又不夠用了。吳王夫差說：「現在天下諸侯都在恥笑我這個霸主，如果我們不顯顯威風，諸侯們說不定會落井下石，跟越國人一起對付我們。諸位，寡人現在想攻打宋國，殺他們的男人，搶他們的女人，以揚我霸主之威，如何？」

這個霸主還眞夠殘忍的！

夫差這麼做，其實有兩點考慮：第一就是震懾諸侯，特別是齊國，以避免這些人趁吳國有難，報以前的仇。第二就是去宋國搶些糧食和盤纏來，否則這十幾萬大軍，沒等回到老家就全得餓死了。

後者，才是最根本的目的。

可是伯嚭擔心老家的老婆孩子、金銀財寶，便說：「打是一定要打的，只是咱們不能在那裡久留，拖下去姑蘇城可要守不住了。」

廢話，你以爲夫差不掛念心肝美人西施嗎？

夫差當即點頭，派王孫雒和勇獲（吳國大夫，本為嶺南越人）率步兵攻入宋境，在郊外大肆搶掠一番，又一把火燒了宋國國都北面的外城作爲恫嚇，然後退兵，急急往吳國老家趕。

此時的吳國，已經被越軍蹂躪數月了，除姑蘇外，其他地方的財富、糧食，都被越國人一掠而空。吳國人從前老是劫掠其他國家，如今，這個報應降臨到了自己身上。

4 放你一馬

句踐爽快地答應了吳國的求和，但事情並沒那麼簡單，退兵可是有條件的，割地賠款自然少不了。夫差此時無心戀戰，當下顧不了那麼多，只得和越國簽訂了一系列喪權辱國的不平等條約，從此，吳國衰落了。

西元前四八二年冬，在國外流浪了近半年之久的吳國大軍終於回來了。擺在他們面前的，是殘破的家鄉，和越國的五萬大軍。

十三萬對五萬，平均兩個多打一個，按道理吳國人沒必要怕，可是這支十三萬的大軍，一缺糧食，二缺鬥志，剛一交手就潰不成軍。

夫差徹底傻眼了，滿腔的雄心壯志化作烏有。他再也不稀罕什麼霸主不霸主了，什麼都可以答應越國，只要能保住小命和國家即可。

他把伯嚭叫了來，沉著臉道：「當初文種來請行成，寡人就不想答應，都是你攛掇寡人勉強應承。今日要去請行成，你須與我走一遭。若是不成，殺伍子胥的屬鏤劍還在，寡人賜你下去陪他！」

伯嚭垂頭喪氣地來到越營，先找到文種，求他先幫自己在越王面前說兩句好話。風水輪流轉，三十年河東，三十年河西。不用三十年，十幾年後，雙方就換了立場了。文種笑道：「當年我找你幫忙，可是帶了白璧二十雙、黃金萬兩，還有八個越國美女的，如今太宰怎麼能空手而來呢？太不夠意思了吧！」

伯嚭趕緊道：「是是是，我趕緊回去拿！」

文種笑道：「你以為我和你一樣貪財好色嗎？算啦！我帶你去見大王吧！成與不成，就看你的造化了。」

伯嚭連連稱謝，跟著文種來到越軍大帳，跪地膝行至越王面前，使勁叩頭說：「先前我王得罪越王，如今已然知道錯了。請越王高抬貴手，與我國講和，雙方重歸於好。」

句踐很想不答應，很想跟吳軍決一死戰，徹底報了會稽之仇，但是他知道，現在還不是時候。十三萬大軍可不是那麼好對付的，困獸之鬥，勝敗猶未可知。就算勝了，也要付出相當的代價，划不來。

算了！見好就收吧！吳國現在是一匹殘馬，病入膏肓，沒救了！不如過幾年寡人再來收拾，貓吃老鼠，多折磨一下也好。

句踐爽快地答應了吳國的求和，但事情並沒那麼簡單，退兵可是有條件的，割地賠款自然少不了。夫差此時無心戀戰，當下顧不了那麼多，只得和越國簽訂了一系列喪權辱國的不平等條約。從此，吳國衰落。

越王句踐的選擇是正確的，目前形勢和當年吳國包圍會稽不同。當時越國只有五千甲兵，而吳國有十萬，投降是唯一出路；現在吳軍雖敗，但仍有十三萬大軍，自己只有五萬，眞打起來，誰輸誰贏還不好說，不如趁勝撈點好處走人。

老虎將主人咬了個遍體鱗傷，就退回山林裡，因爲牠明白，自己的食量有限，吃多了會撐著。

不過，越王句踐不是夫差，他可不會天眞地讓敵人有喘息的機會，這是發生在他自己身上的教訓，怎麼可能讓歷史重演？

但他也深知，長年累月的戰爭對剛剛崛起、根基尙未穩固的越國沒有好處，便想了個借刀殺人的妙招。他要讓楚國人出頭去對付吳國，一點一點消耗吳國的實力，直到自己可以一口呑掉吳國，報仇雪恨的那一天。

對於楚國，楚平王的屍體是被吳國人羞辱的，楚昭王也是在和吳國的戰爭中死去的，他們與吳國的仇恨，一點兒不比越國人少，楚越雙方很快結成了戰略同盟，此後的幾年內，隔三岔五地輪番襲擊吳國，折騰夫差。

其實越國人多慮了，吳王夫差不是句踐，他沒有忍辱負重的耐力，也沒有臥薪嚐膽的毅力，當所有稱霸的夢想化作泡影，他就變成了個徹頭徹尾的膽小鬼。從前他沒有雄才，總算還有點雄心，而今連那點可憐的雄心都沒有了，只想安安心心、平平靜靜地過完下半輩子。

據《左傳》的記載，從黃池大會那年開始，戴著「霸主」虛銜的吳國竟沒有再主動發起過一場戰爭，幾乎都是別人來打它。

用現在的話講，吳王夫差就是一個正宗的「草莓族」，好高騖遠，卻沒有抗壓能力，一遇到挫折，就無可挽回地墮落了。

實際上，夫差就是想臥薪嚐膽也不可能了，前一年越國假惺惺歸還的「良種」，終於在西元前四八二年的秋收季節發揮「威力」。接下來的幾年內，又連續發生大規模的饑荒，國民逃散，經濟衰退，南部的錢塘江流域被越國鯨吞，北部的江淮地區被楚國蠶食。千辛萬苦挖出來的兩條運河，沒用幾年就全給別人做了嫁衣。

第14章

從春秋走向戰國

西元前四七三年十一月，包圍到了最後關頭。寒風摧殘著吳國人的求生意志，城門上再找不到一個能站起來的士兵。空蕩蕩的街頭，躺滿了屍體和奄奄一息的百姓。

1 決戰

路邊有一隻憤怒的小青蛙，肚子一鼓一鼓的，睜著大眼使勁瞪路人，好像別人欠了牠幾萬塊錢似的。句踐點了點頭，從戰車上站起來，低頭扶軾，向牠敬禮。

西元前四八二年冬，吳越講和，句踐又給了夫差五年的時間，可是夫差毫無長進，越國卻日漸強盛。

看來老天都要吳國滅亡，句踐當然沒理由再繼續等下去。好吧！就賞你一刀，讓你早死早超生。

西元前四七八年，越王句踐率全國兵力傾巢而出，給吳國以毀滅性的打擊。這次的兵力不再是五年前的五萬，而是八萬。

八萬雄兵，怎麼來的？都是句踐這些年推行生育政策，越國那些英雄母親生的。

十幾年過去了，小孩一個個都長成了勇敢的戰士，爲了十幾年前父輩的仇恨，他們將要攻入吳國，把太湖水染紅。

老規矩，句踐又找來了他的左膀右臂文種、范蠡問計。

文種道：「據我所知，現在吳國連年饑荒，市場上連粗糧都沒得賣了。爲了生存，很多百姓都離開國都，逃到了東海之濱，靠撿蛤蚌填飽肚子。一切對我們都如此有利，還等什麼？」

句踐一邊點頭，一邊又問范蠡：「范大夫，你怎麼看？」

范蠡道：「文大夫說得沒錯。我聽說，捕捉機遇，就像撲滅大火和追捕逃犯一樣，拚命追趕都嫌來不及呢！大王，不要猶豫了，出兵吧！」

句踐想了一會兒，又道：「兵者，凶也。打仗畢竟是大事，范大夫是不是再依例卜個卦，問一問吉凶，保險一點？」

范蠡相術非凡，按道理應該會答應，沒想到他一反常態，斷然道：「有疑惑才問神，沒有疑惑，還問什麼？如果神說不打，難道就不打了？大王，咱們現在應該立刻出兵，不等吳國其他地方援兵到達，直搗姑蘇。吳王定以不與越戰爲恥，親率都城的軍隊迎戰。倘若咱們能打敗吳王，一舉攻下姑蘇最好，如果一時無法成功，就讓御兒（今浙江嘉興，越國北部重鎮）的守軍牽制吳國的地方部隊，讓他們無法和都城守軍會合。如此，我軍主力可將姑蘇團團圍住，餓也要餓死他們！」

句踐大喜道：「太好了，就這麼辦！傳令下去，馬上發佈全國動員令，如願加入軍隊跟隨寡人伐吳的，都去國都門外集合，寡人有重要的事情宣佈。」

緊接著，句踐的老婆將宮殿用土堵死，讓句踐放心出征。

緊接著，句踐派使者去周天子敬王那裡報告，說自己要伐吳，一切都是爲了世間的公理與正義。

緊接著，句踐齋戒沐浴，到大禹廟祭告祖先，然後來到城外飛翼樓上，宣告在那裡集合的國人：「你們當中有好主意想來報告的，都儘管報來。主意好的有賞，報告不實的將受罰，請在五天內愼重考慮。超過五天，你的主意就不被採用了。」

五日之後，一切準備就緒，句踐又來到飛翼樓上，親自擊鼓，三軍整列，而後當著八萬大軍的面，處死一個罪犯，宣佈說：「此人賄賂有司，破壞軍紀。當死！」

原來這個倒楣鬼是越國富家子弟，貪生怕死，不敢從軍，故用金銀財寶賄賂人口普查部門，妄想逃避軍役。越王句踐當衆殺了他，就是爲了嚴明軍紀，殺雞給猴看。

隨即就是動人的送行場面，三軍將士各自與父母兄弟訣別，互相哭著說：「此行不滅吳，復不相見！」

壯烈的氣氛瀰漫了整個廣場，衆人齊聲唱道：

躒躁摧長恧兮，
擢戟馺殳，所離不降兮，以洩我王氣蘇。
三軍一飛降兮，所向皆殂。
一士判死兮，而當百夫。
道佑有德兮，吳卒自屠。
雪我王宿恥兮，威震八都。
軍伍難更兮，勢如貔貙。
行行各努力兮，於乎，於乎！

——《吳越春秋．離別相去辭》

唱完歌，大軍正式出發。第二天，句踐又當衆殺了一名「官師」級罪犯，宣佈說：「此人不聽軍令，當死！」

看來猴子們心存僥倖，只好再殺一隻雞。

第三天，句踐又當衆殺了一名「下大夫」級罪犯，宣佈說：「此人不遵王命，當死！」

看來猴子們還心存僥倖，只好再殺一隻雞。

第四天，越軍兵臨吳越邊境，句踐又當衆殺了一名「將軍」級罪犯，宣佈說：「此人驕奢淫逸，不聽管教，當死！」

這下猴子們全老實了，沒有一個人再敢犯軍紀。

大軍再出發，走了沒多久，看到路邊有一隻憤怒的小青蛙，肚子一鼓一鼓的，睜著大眼使勁瞪路人，好像別人欠了牠幾萬塊錢似的。

句踐點了點頭，「這個小憤青，有前途！」說著，從戰車上站起來，低頭扶軾，向牠敬禮。

左右問道：「大王爲何要向一隻小青蛙敬禮呢？難道牠不是一隻普通的蛙，而是一隻神蛙？」

什麼神蛙，還鬼蛙呢！句踐惱怒，正色道：「你們不懂！一隻小小的青蛙看到敵人，都能充滿鬥志，怒氣沖天，難道不值得尊敬？」

其他人聞聽此言，頓時羞愧難當，說道：「吾王敬及怒蛙，我等受數年教訓，豈反不如蛙乎？」

於是，戰士們一個個緊握戰友的雙手，互相勉勵，以必死爲志。

句踐見這齣戲大獲成功，大喜，一隻小青蛙成就了八萬悍不畏死的大軍，寡人的演技，果然爐火純青啊！

這還不夠，句踐又向全軍宣告說：「軍中凡是有父母而無兄弟的，向前一步！」

這些人站了出來，你看著我，我看著你，不知何事。

句踐大聲道：「我不需要你們效死，回去吧！」

群情激昂：「爲什麼？我們要爲大王獻身，爲祖國獻身，我們不回去！」

句踐說道：「你們都戰死了，你們的父母怎麼辦？請回去奉養父母。日後沒有了牽掛，還可以再來參軍嘛！」

大家全感動得哭鼻子。

句踐又說道：「有兄弟幾個都在軍中的，往前走一步！聽著，接下來會有一場硬仗，如果戰事不利，你們都有可能會犧牲。兄弟之間選一個回去吧！讓你們的父母能有人送終。」

大家全感動得抹眼淚。

句踐又道：「眼睛昏花、體力虛弱、有病在身的，也統統回家去吧！」

這下可好，幾個命令下去，八萬大軍一下子走了一兩萬，但句踐一點兒不覺得可惜。比起人數來，士氣對一場戰爭的成敗更重要——沒有牽掛、勇敢而健康的士兵，才是最強大的精兵。

第二天，六萬多越軍進入吳境，行至錢塘江口，大戰在即，句踐再一次當衆處死五名罪犯，向全軍宣告：「我愛你們，比對我親兒子還愛。但如果犯了死罪，就算是我的親兒子，也一樣要處死！決戰就在眼前，你們當中有讓回去而不回去，讓留下而不留下，讓前進而不前進，讓撤退而不撤退，讓向左而不向左，讓向右而不向右的，一律處死，老婆和孩子賣作奴隸，聽到沒有？」

終於，西元前四七八年三月，越軍到達姑蘇城外笠澤（即吳淞江，今天的蘇州河，太湖入海三條主要水道「三江」之一）南岸。吳王夫差聞訊，慌忙帶著姑蘇城內全部兵力五萬前往迎戰，雙方隔江對陣。

春秋時代最後一場大仗「笠澤之戰」爆發了！

奇怪了，夫差腦袋壞掉了嗎？越軍來勢洶洶，這個時候爲何不固守城池、等待地方部隊前來支援，反而要主動出擊呢？

因爲，夫差想憑藉大江之險，禦敵於姑蘇城外。

要知道，水道是吳國的生命線，如果連最大的水道吳淞江都被越國人控制，姑蘇城將變成一座孤城，遲早會被越軍攻下。

他到這個時候還在做美夢，滿心以爲吳淞江是姑蘇城的天然屏障，越軍沒有那麼容易攻過來的。

確實，在戰略思想落後的春秋時代，渡江作戰十分困難，因爲不能徒涉的江河，限制了進攻部隊的機動，易割裂戰鬥隊形，指揮、協同、通信聯絡和物資補給都很困難。只要吳軍在越軍渡江的時候，找準時機半渡而擊之，必能給敵人以毀滅性的打擊。

句踐看著這條寬闊的大江，十分頭疼：渡江作戰，從前也沒有什麼成功戰例可以借鑑呀！想來想去，只有當年楚成王攻打宋國的泓水之役，算是一個比較成功的例子，但那次是因爲宋襄公自己太迂腐，等到楚軍完全渡過泓水才發動進攻，楚國這才打贏的。夫差應該沒有那麼傻才對，怎麼辦呢？

想了半天想不出轍，只好請教范蠡。

范蠡道：「渡江進攻戰鬥，一定要力求乘敵之隙，出敵不意，從行進間以奇襲的方法實施。不可能時，則實施強渡。但這兩種方法，在敵人有充分準備的情況下都很難實施。所以，我們必須採取主渡與助渡、眞渡與佯渡、強渡與偷渡相結合的方法，在密集的弓弩與黑暗的夜幕雙重掩護下，迅速、突然地渡過江河，堅決勇猛地衝擊、奪占敵岸要點，鞏固與擴大登陸場，適時使用後續力量發起進攻。」

「哦？」句踐一下子被勾起了興趣，「不錯，有點意思。不過，你說的這些都是理論，實際應該如何操作呢？」

「依臣之見，不能讓全部主力在一個地方強行渡河，這樣損失會很大……」

「繼續，繼續！」

「是！」范蠡鋪開軍用地圖，邊指邊說道：「我們可以在這裡、這裡佈置兩支部隊，在我軍兩翼發動佯攻，造成吳軍錯覺，調動軍隊，分散兵力，然後中軍主力趁機從這裡偷偷渡河……」

這天黃昏，越軍部隊一分為二，各自向上下游移動五里待命。

半夜，兩軍點起火把，擊鼓渡江。夫差聽到上下游都是鼓聲，大吃一驚，好陰險的句踐！竟然趁夜摸到我軍防守薄弱的地方實施偷襲，要是被他們渡過江來，左右一夾，寡人可全完了！幸好我早有準備，提前防範。

夫差也立刻將軍隊分成左右兩軍，分頭抵禦。

太天眞了！句踐比他想的還要陰險。此時，越國的中軍主力，最精銳的六千君子（王族部隊），已然從一個意想不到的地方，趁著夜色，無聲無息地悄悄渡過江來，直撲吳中軍指揮部！

兵不厭詐，這是戰爭！

吳王夫差正在指揮部等待好消息，卻見他的偵察連長臉色蒼白地衝進帳來，大喊：「大王！不好了……」

「慌什麼？打仗最重要的就是保持鎮靜，眞沒出息！」

「大王，那兩支渡河的部隊並非越軍主力，咱們上當了！」

「那又怎麼樣？管它是不是主力，將他們擊退就好了。」

「不是，越軍的真正主力已經趁著我們不注意渡江了，現在離此不到三里！」

「什麼？」夫差全身一震，跳起來衝到帳外，只見漆黑的夜色中，遠處黑影幢幢，密密麻麻，也不知有多少敵人。

他一把抓住偵察連長的衣領，歇斯底里地喊：「你這個偵察連長是怎麼當的？越軍渡江這麼久，你現在才發現！」

偵察連長慌得暈頭轉向，心裡暗道，怎麼能怪我？這麼長的江面，我哪能什麼地方都關照到？

夫差一把推開偵察連長，「現在沒工夫，遲些再收拾你！」又轉身對王孫雒道：「我們這兒還有多少人？」

王孫雒道：「不到一萬。」

「那還不趕快叫左右兩軍回來支援？快！組織反擊，咱們一定要撐到跟左右兩軍會合才行。」

數千吳軍立刻開始展開迎擊，雙方在夜色中對射，然後短兵相交。

越女阿青和陳音的訓練成果發揮效用了。句踐的這六千君子，裝備是越軍中最先進的，身著輕甲，後背長劍，手持勁弩，先用弩連發三次攻擊敵軍，邊射邊靠近敵人，待到對方被射得不敢抬頭，再迅速殺上，長劍出鞘，連砍帶刺，所至之處，吳軍大片大片倒下。

這六千君子軍，劍弩全能，能同時實施近身和遠端攻擊，其殺傷力之大，恐怕只能用特種部隊來形容。

從前在艾陵之戰對齊軍實施過毀滅性打擊的吳國中軍、從前在黃池之會嚇得晉國人屁滾尿流的白色惡魔、從前吳王夫差引以爲傲的虎狼之師，如今，在越國的六千君子軍面前，統統變成了披著狼皮的羊，被任意屠戮。

夫差開始發抖，止不住地發抖。自己十幾年前犯的錯誤，終於造成了無法挽救的惡果。這些曾在王座下匍匐顫慄的奴隸，現在徹底進化成了可怕的遠古惡獸，牠們將會把自己所擁有的一切全部吞沒……

完了！寡人完了！吳國完了！全完了！

與此同時，吳國左右兩軍接到夫差命令，開始回撤，朝吳中軍靠攏。

越國左右兩軍趁勢渡江，從後掩殺，吳中軍受到重創，指揮混亂，再加上夜色之中三軍無法協同，頓時全面崩潰，大敗而逃。

句踐大喜，率三軍追在吳國人屁股後面打，接連在沒（今江蘇蘇州南）、郊（今江蘇蘇州南郊）又兩次擊敗吳軍。名將王子姑曹、胥門巢相繼戰死，夫差帶著一萬多殘兵，退入都城據守。

至此，吳國的老本已經快輸光光了。

老虎終於將主人逼到了死角，張開血紅的大口，迎面撲來。

這一戰，越軍第一次使用了誘敵、佯攻、夜襲等高段位戰術，一步接一步，一環套一環，每一個時機都抓得恰到好處。

作爲中國戰爭史上第一個成功的渡江進攻戰指揮者，范蠡不愧爲春秋時期數一數二的軍事大家，其使用戰術之妙、把握戰局之精、拿捏戰機之準，簡直可以和孫武媲美。范蠡也有一部《范蠡兵法》傳世。

可憐的夫差，雖然也是個能兵之人，卻堪堪遇上這樣一個可怕的對手，慘敗也沒話說，誰叫他當年殺了吳國唯一的頂樑柱？

2 吳殤

西元前四七三年十一月，包圍到了最後關頭。寒風摧殘著吳國人的求生意志，城門上再找不到一個能站起來的士兵。空蕩蕩的街頭，躺滿了屍體和奄奄一息的百姓。

句踐在姑蘇郊外攻滅吳軍主力後，並沒有急著攻進城去，而是在姑蘇周邊一邊掃蕩吳軍的地方部隊，一邊全面控制水陸糧道。

各個擊破，慢慢蠶食，這才是大蟒吞象最好也最保險的方法，畢竟，吳國雖敗，但地盤比越國大，人口比越國多，要是一口氣吞下來，會撐死的。

與此同時，楚國也在吳國北面，攻滅了吳國最後一個小弟——陳國。

看來，現在楚越兩國都緊緊地盯住了吳國這塊大肥肉。到底是瓜分？還是獨食？這是懸掛在全天下人面前的一個大問號。

兩年後，西元前四七六年春，越王句踐突然出兵攻打楚國，楚國還擊，越軍退，楚國大夫公子慶、公孫寬追趕越軍，到達冥地（今安徽廣德東南七十裡的苦嶺關與浙江長與西南的泗安鎮之間），沒有追上，撤兵返回。

是年夏，楚沈諸梁（沈尹戌之子）為報復越國，又率軍攻打越國的小弟三夷（古代居住在浙江東南沿海，寧波、台州、溫州一帶的三個部族，是百越的一支）。三夷人投降，雙方講和。

奇怪了，楚越兩國都是吳國的敵人，雙方不是戰略同盟嗎？現在怎麼自己打起來了呢？

原因有兩種可能：第一，吳國敗亡在即，雙方在利益分配上產生了矛盾，起了內訌；第二，這其實是雙方唱的一齣雙簧，目的是為了迷惑吳國，讓夫差放鬆警惕。

從後續事態的發展來看，第二種的可能性更大一些。

果然，夫差以為句踐沒有吞滅吳國的決心，遂放鬆戒備，開始花天酒地，享受人生最後的瘋狂。

這時候，大臣中又跳出了一個不怕死的傢伙，名字叫做公子慶忌——應該不是被要離殺死的那個，或許二人同名，不知道，史書有時候也記載得很混亂。

這個公子慶忌勸夫差說：「不要玩了！國家都要亡了，還玩！」

夫差大怒，將他驅逐出境。公子慶忌於是逃到了艾地（今江西修水），又逃到楚國，四處流浪。

第二年，西元前四七五年十一月，越王句踐屈指一算，十年生聚、十年教訓，今天正好是會稽之恥二十周年紀念日（會稽之恥發生在西元前四九四年），本王就選擇在今年讓吳國從這個世界上消失吧！

是月，越軍大舉侵吳，一路高奏凱歌，直逼姑蘇城下。這次句踐又不忙開打，畢竟姑蘇城是江東第一大都會，城高池固，強攻損失太大，所以先築工事，自吳淞江北開渠至橫山東北，又在胥門外築起一座小城，就地取食，以戰養戰，儼然要在吳國的腹心地帶生兒育女、安家落戶了。

這一圍，就是三年之久。

當年句踐爲奴入吳，是三年。現在句踐築城圍吳，也是三年。這是歷史的巧合，還是天意的安排？沒有人知道。

這三年，吳王夫差所受的苦楚，一點兒不比當年越王句踐爲奴少。

圍城的初期，夫差還抱有一絲希望，經常出來向越軍挑戰，甚至一天來回五次，以圖突破包圍。但越軍在吳都周邊堅守陣地，每次都不與吳軍決戰，計劃是只圍不攻，讓夫差彈盡糧竭，乖乖投降。

這樣的損失最小，成效最大，也最保險、最折磨敵人。

期間，句踐也曾動搖過，幾乎想接受夫差的挑戰，可范蠡勸他說：「不是說好了只圍不攻嗎？還沒堅持多久，大王怎麼反悔了呢？我聽說天道貴恆，謀劃好了的事，是不能再更改的。」

句踐接受了范蠡的勸諫，開始修身養性，將仇恨深埋心底，默默等待吳王夫差和姑蘇城崩潰的那天。

凍僵的蛇終於回暖了，牠緊緊纏住農夫的身體，越縮越緊。

夫差幾次挑戰，都無功而返，心裡十分鬱悶。這時候，流浪漢慶忌突然自己跑回來了，口口聲聲要和吳國共存亡。

夫差很感動，危難之際，居然有人不顧自身安危和個人恩怨，回來保護祖國，這是多麼崇高的愛國情操呀！

他對慶忌說：「之前寡人不聽你的忠言，將你趕走，你卻不計前嫌，回來共渡危難，寡人看錯你了，你是個眞正的愛國志士。爲了彌補從前的錯誤，寡人決定讓你來主持大局，與越國決一死戰！」

夫差錯了，慶忌回來，並不是爲他效死的。他回來只有一個目的，就是想辦法向越國求和，從而保住吳國的宗廟，甚至乾脆滅掉夫差，以求取越王的原諒，求取吳國的和平。換言之，慶忌是個主和派，說得不好聽些，就是投降派。

果然，慶忌沒有如夫差所願去拚死攻打越軍，一掌握權力，立刻就派人去跟越王求和了。爲了達到這個目的，甚至殺死了幾個主戰派，以討好越王。

夫差終於認清了慶忌的眞面目，大怒，立刻發動親軍攻打。

經過一番激烈的戰鬥，慶忌兵敗被殺。至此，吳國的主和派被夫差全部清除，主戰派獲得了最終的勝利。

唉！到了生死存亡的時候，吳國人還要內訌。自掘墳墓，愚不可言。

越軍持續包圍，吳王夫差也做著最後的抵抗，死守！再死守！

他幻想著有一天，那些和他曾歃血爲盟過的盟友們，會像童話裡白馬王子接灰姑娘一樣，乘著一朵白雲來救他。

夫差太天眞了，在爾虞我詐的春秋亂世，所謂盟約，不過是一張廢紙，利益和拳頭要比它重要得多。更何況那些盟會，大多是夫差逼著人家參加的。盟主有難，大家不看笑話就已經很不錯了，怎麼可能千里迢迢出兵來自找麻煩？

想必，夫差困守在姑蘇城的近千個日日夜夜，腦海裡始終盤旋著這麼一句話：大家同是姬姓國，兄弟被外姓人欺負，你們怎一個都不來幫忙呢？你們太不夠意思了！

如果諸侯們聽到夫差的怨言，相信會這麼回答他：「別怪我們哪！這年頭，誰的拳頭硬，誰就是老大。別說同姓了，就算是親兄弟，大難臨頭也要各自飛呢！」

恰好此時，當年和夫差一起喝過牛血的晉定公病死了，兒子鑿即位，是為晉出公。有了國喪做藉口，晉國更可以不出兵救援了。

當然，話是這麼說，表面功夫還是要顧，怎麼說也是形式上的兄弟之國，是舉手在神明祖先面前發過誓的。於是，晉國上卿趙無恤（趙鞅之子）自動降低飲食標準，天天吃素，以表達對吳國的同情與哀傷。

他的家臣楚隆不明白怎麼回事兒，就問：「國君去世，您已經降低了您的飲食標準很多了，為什麼最近還要接著再降？是不是另有緣故？」

趙無恤回答：「你說得沒錯。當年黃池那一次盟會，我老爹（趙鞅）曾和吳王有過盟誓，說好了要有福同享，有難同當的。現在吳國有難，夫差大叔到了最危險的時候，我很想去救他，但又無能為力，只好用降低飲食標準來表達心意。」

楚隆說：「我主仁愛。但是愛，就要說出來，不如就由我楚隆去姑蘇走一趟，代替您向吳王表達。」

趙無恤表示同意，遂派楚隆出使吳國，吩咐他小心行事。楚隆來到姑蘇城外，先去徵求越王的同意。句踐大發慈悲，放他進去見夫差最後一面。

句踐之所以這麼放心，是因爲他與晉國早有默契，知道晉國人此行前來，不過是爲了顧全一下盟友的顏面，並不是眞想救夫差。

等了半天，一個盟國沒來幫忙，總算來了一個，卻只是個表示慰問的老頭，夫差鬱悶極了。鬱悶歸鬱悶，難得有遠客來，還是要好好招待一下。餓死事小，面子事大，夫差於是搜羅出宮裡最後一點好吃的，請楚隆吃大餐。

楚隆將自己的來意說了一番，表明晉國領導人很同情夫差的遭遇，但鞭長莫及，沒辦法救助，只能派他來表示慰問和歉意。

已經心力交瘁的夫差聞聽此言，竟然失態地朝一個家臣下跪磕頭道：「寡人沒有才能，讓貴主擔憂了。請替我拜謝他的教誨，並致以誠摯的問候。」

夕陽照在空蕩蕩的宮殿裡，將夫差落寞的身影拉得很長很長。楚隆搖頭歎息，欷歔不已。英雄末路，實在令人感傷。楚隆免不得安慰幾句，然後告辭。

臨走之前，夫差又拿出一小盒珍珠，讓他幫忙轉交給趙無恤，說：「句踐恨我入骨，恐怕寡人要不得好死了。不過，即使快淹死的人，也懂得強顏歡笑。寡人是不會讓天下人看笑話的！」說完還苦笑了一下。

這個絕望的笑，在楚隆的眼裡，比哭還慘。

姑蘇城外，歷史的車輪開到了西元前四七四年五月。吳國的姑蘇城已經被圍困了半年之久，城裡的糧食快吃光了，開始按人頭限量供應。越王句踐向魯國派出了使者，替自己滅吳的正義行動尋求國際輿論上的支持，並為日後的稱霸事業鋪路。

西元前四七三年四月，包圍仍然在繼續。姑蘇城被圍困了一年半之久，城裡所有的糧食都吃光了，千金難求一米，老百姓開始吃草根樹皮，軍隊開始殺馬求生。

先前被夫差廢掉的邾隱公，從齊國逃到越國，宣誓向這個新崛起的勢力效忠。越王句踐大喜，將邾隱公送回邾國復辟。邾國成為越國在中原地區的第一個小弟。

西元前四七三年十一月，包圍到了最後關頭。凜冽的寒風摧殘著吳國人的求生意志，所有能吃的東西都沒有了，開始易子而食，甚至有人家將老弱病殘趕到樹上，用力搖，還能抓住樹枝不掉下來的就讓他們活，掉下來的就殺了吃掉。

十一月二十七日，城門上再找不到一個能站起來的士兵。空蕩蕩的街頭，躺滿了屍體和奄奄一息的百姓。

一個紅衣少年踟躕地站在街口，長髮飄飛。一雙滿是淚水的眼睛裡，充滿了哀傷與迷茫。他輕輕揮舞衣袖，淒然唱道：「干戈動，桐葉冷，吳王醒未醒？寒鴉唱，梧葉秋，吳王愁更愁！」

歌聲蒼涼悲壯，聞者無不落淚。

他就是江湖閑樂生，幾十年過去了，黑髮依然，似乎不會變老。

長街另一頭突然傳來急促的腳步聲，那是夫差和數百名全副武裝的甲士。數名甲士不由分說將少年押到夫差面前，夫差怒道：「你是何人？竟敢在此妖言惑衆，亂我軍心，找死嗎？」

閑樂生搖頭道：「吳王啊吳王，到了這個時候，你還有什麼軍心可言？開城投降吧！放老百姓一條生路！」

「住嘴！吳國還有數千精兵，就算寡人戰死沙場，也絕對不投降。臣可跪著生，君要站著死！」

閑樂生一指大街上奄奄待死的百姓，大聲道：「你要死是你的事兒，憑什麼讓他們為你陪葬？」

夫差一愣，啞口無言，許久，喃喃道：「你說得對，百姓何罪……這一切都怪寡人，寡人無道，愧對列祖列宗，愧對吳國百姓；寡人愚蠢，活該被天下人恥笑，事到如今，什麼都晚了……」

正在這時，城門那邊傳來慌亂的喊叫聲：「快逃，越兵入城了……」

夫差顧不得再管這個神秘少年，拔劍道：「衝啊！和越國人拚了！」

身後傳來凌亂的腳步聲，一回頭，甲士已經逃了個精光，只有伯嚭和王孫雒等少數幾個親信大臣、三個兒子，以及十幾個親信衛士仍舊站在原地，滿臉恐懼。寶劍落地，夫差的眼神充滿絕望，「吳國的軍民都已拋棄了寡人，寡人完了，全完了！」

伯嚭道：「大王，啥也別說了，快逃命吧！留得青山在，不怕沒柴燒！」

夫差無奈，只得帶著這二十幾個親信亡命出城，逃上秦餘杭山（今蘇州陽山，姑蘇城外五十里，在太湖邊）。越軍緊追不捨，兵分三路，將秦餘杭山團團圍住。

大勢已去，夫差心中卻還存著一絲殘念，幻想著句踐能像自己當年一樣，答應求和，遂派王孫雒赤裸上身，膝行至句踐帳前，說：「寡德之臣夫差，斗膽向大王吐露忠誠：過去敝國曾經在會稽山上得罪過大王，那時我不敢違背大王的命令，得以與大王結好而歸。如今我不遵天道，又得罪了君王，君王親自來到敝國，懲罰我的過錯，我心服口服。但我還是要冒昧地請求您顧念從前的情誼，允許我把金玉美女進獻給您，作為賠罪，以恢復當年在會稽實行的和好，那麼，吳國的百姓和夫差願永遠做您的奴僕，吳國願永遠做越國的附庸，世世代代，永不背離。」

句踐看到這從前不可一世的霸主，而今如此落魄，心裡一下子也有些不忍，就想答應求和。范蠡趕緊在一旁勸道：「我聽說聖人的成功，是由於他能順從天意。老天爺發給你的紅包，一定要及時收下，不然駁了祂老人家的面子，後患無窮。再說，我們辛辛苦苦謀劃了二十年，好不容易逮到這個機會，怎麼能前功盡棄呢？現在大王遲遲不能決斷，難道忘記了會稽之恥？難道忘了養馬之苦？難道忘了嚐糞之羞？」

句踐豁然醒悟，大聲道：「沒錯！深仇大恨，寡人一日未曾忘。心心念念，就是為了今日！」說著，決絕地一揮手，對王孫雒說：「你回去告訴夫差，過去上天給越國降下災禍，讓越國落在吳國的手中，而他沒有接受。現在上天一反此道，叫我們報復吳國，寡人怎敢不聽從？」

王孫雒見多說無益，遂退出大帳，在越營前伏地痛哭，希望用眼淚感動句踐。他錯了，同樣是眼淚，申包胥的眼淚值錢，他的眼淚，一文不名！

果然，句踐越聽越煩，一揮手，「范大夫，你幫寡人出去打發走這個討厭鬼。」范蠡走出營帳，來到王孫雒面前說：「大王已經將軍政大事託付給我處理了，王孫大夫，你還是快走吧！否則別怪我無情。」

王孫雒仍嘴硬，說道：「尊敬的范大夫呀！古人有句話說：不要助天作惡。助天作惡的人會有報應的。現在我們吳國到了山窮水盡的地步，您還要助天作惡，不怕遭厄運嗎？」

范蠡詭譎地一笑，「尊敬的王孫大夫呀！我們越國的先君，原本不過是周朝一個上不了檯面的子爵，只能住在東海岸邊，和黿鼉魚鱉相處，同水邊的蛤蟆共居。我們雖然面貌像人，實際上跟禽獸差不多，怎麼聽得懂你這些巧辯的話？你還是快走吧，不要再跟野獸枉費唇舌了。」

王孫雒愣了，萬萬沒有想到，堂堂一個越國大夫也會耍無賴，看來越國人是鐵了心要亡吳國了。走吧！沒希望啦！

他沒有再說一句話，站起來，一邊哭一邊往回走，身後傳來震天的戰鼓聲。老虎的血盆大口，終於咬破了主人的喉嚨。牠喘著粗氣，等待主人鮮血流光的那一刻。

下雪了。大雪紛飛，鋪天蓋地，莽莽蒼蒼的山林，浩浩蕩蕩的太湖，銀裝素裹。這是西元前四七五年第一場雪，時屆仲冬，萬物肅殺，吳山吳水，一片死寂。

秦餘杭山頂的小屋裡，夫差冷得瑟瑟發抖，迷茫、饑餓、心如寒冰。

忽然，他的眼睛一亮，只見王孫雒步履踉蹌地從山下走來，深一腳、淺一腳，不小心還摔了一跤，滿頭滿臉全是雪水。

夫差衝了出去，一把抓住，急聲問：「王孫大夫，越王答應求和了嗎？」

王孫雒呆呆地看了夫差一眼，放聲大哭。

夫差什麼都明白了，鬆開手，仰天長號，「天！為什麼？我夫差到底做錯了什麼？你一定要將寡人逼上絕路！」

「大王……」十幾個大臣和衛士跪倒一片，伏地痛哭。

夫差鏘啷一聲拔出佩劍——那把從前越王獻給他的步光寶劍，直指青天，問：「二十二年前，寡人為報父仇，興兵伐越，錯了嗎？」

眾人齊聲哭道：「沒有！」

「十八年前，寡人憐憫越王，興滅國，繼絕世，放其歸國，錯了嗎？」

眾人齊聲哭道：「沒有！」

「十二年前，越國大饑，寡人心念越國百姓之苦，借其糧食一萬石，助其渡過難關，錯了嗎？」

眾人齊聲哭道：「沒有！」

「十年前，寡人遠征千里，與晉國在黃池盟會，得到無上霸業，錯了嗎？」

眾人齊聲哭道：「沒有！」

夫差放聲大哭，「那為什麼？為什麼寡人竟會落到如此地步？吳國竟會落到如此地步？」

眾人無言，只是陪他哭。

這時，一個冷冷的聲音傳來：「你不知道原因，那就讓我來告訴你吧！」

不知何時，山上佈滿了越國士兵，黑壓壓的一片，與漫天的大雪相交輝映，剛才說話的，正是越國的相國——范蠡。

「夫差，你共犯有五條大錯，每一條都可以讓你死一萬次！」

夫差一劍直指范蠡，歇斯底里地喊：「寡人不信！你說寡人到底有哪五大錯？」

范蠡的聲音同這大雪一般冰冷：「不聽忠言，殺害忠臣伍子胥，這是你的第一大錯。聽信讒言，重用奸臣伯嚭，這是你的第二大錯。齊、晉無罪，數伐其國，這是你的第三大錯。吳越本屬一族，音同俗近，吳卻侵越，這是你的第四大錯。越人殺吳先王，不知報仇，而縱敵貽患，這是你的第五大錯。你犯了如此多的錯誤，得到這樣的下場，還不應該嗎？」

寶劍落地，夫差踉蹌著倒退幾步，垂淚道：「寡人確實錯了，每一條都做錯了！寡人愧對先祖，愧對黎民，愧對天地，愧對山河……寡人唯有一死，謝罪天下！唯有一死，謝罪上蒼！」

范蠡道：「這倒不必，我們大王說了，人的生命並不長，希望吳王你不要輕易去死。人活在世界上，不過是一個過客，能有多少時日？將你安排到甬東（今浙江舟山島）這個地方養老，並讓你挑選夫婦三百戶，隨同前去伺候終生，如何？」

要他在一個小島上度過餘生，這麼說，就是要把夫差當成拿破崙來辦了。句踐果然頗懂政治，明白留下夫差的小命，可以收買吳國人心。

面對句踐的假仁假義，夫差此時的表現還像個漢子，淒然一笑，說：「不必了！如今吳國宗廟滅絕，土地和百姓都歸了你越國，我留在這世上還有什麼意思？徒惹天下人笑話罷了！你回去跟越王說，我老了，沒辦法伺候君王，唯有一死，以謝天下！」

屈辱的生？還是壯烈的死？夫差最終選擇了後者。歷史上，大多數悲劇人物都會選擇後者。不自由，毋寧死！

他上前幾步，撿起步光寶劍，慘笑道：「你們知道嗎？寡人現在就是死得再壯烈，身後也一定會遺臭萬年了，哈哈哈……」

臨死之前，夫差也留下了一句千古名言。

每個英雄臨死前，都要留下名言，他之前有成得臣和伍子胥，他之後有項羽和文天祥。夫差是不是英雄，我不知道，可至少在選擇自刎的時候，頗有幾分英雄的樣子。

「吾生既慚，死亦愧矣。使死者有知，吾何面目以見員也？使其無知，吾負於生。死必連繫組以罩吾目，恐其不蔽，願覆重羅繡三幅，以為掩明。生不昭我，死勿見我形，吾何可哉？」

意思是：假使死去的人有知，我還有什麼面目見伍子胥於地下？假使死去的人無知，我也對不起活著的吳國百姓。我死以後，你們要用三層羅繡，遮住我的臉和眼睛。我活著時，這雙眼睛看不清楚看不明白，死後更不要讓人看到我那愚蠢的臉龐。除此之外，我還能怎麼樣呢？

說完，夫差伏劍自殺，鮮血染紅羅繡，完成了一生中最壯烈的舉動。

掛在吳國城門上的伍子胥的頭顱，緩緩閉上了眼睛。

楚、吳、越三個國家數十年的恩恩怨怨，隨著伍子胥和夫差的先後死去，總算是告了一個段落。

吳國這個身在恩怨中心的短暫王朝，就如劃破春秋時代政治星空的一顆流星，憑著柏舉之戰和艾陵大戰的奪目異彩，剛寫完歷史上最光輝的一頁，就隨著黃池之會和笠澤之戰的慘澹收場，迅速隕落，走向敗亡。身背復仇與野望的伍子胥和夫差，則如絢爛綻放的曇花，在入郢鞭屍和夫椒之戰中痛快淋漓地報仇雪恨之後，迅速其人生最高點滑落、枯萎，壯烈地折枝、死亡。

其實世界上的大多數事物，都是有善始，沒有善終的。花無百日紅，國無萬世君，人生苦短，轟轟烈烈過了，就足夠了，何必追求永恆呢？

我們講述的這段歷史，就要接近尾聲了，總的來說，這是一段復仇的歷史，一切都以復仇開始，一切也以復仇結束。伍子胥、夫差、句踐，三個各具特色的「復仇男神」，終是最能隱忍的句踐笑到最後。

只是，當大仇得報後，他們眞的快樂嗎？眞的心滿意足了嗎？答案是否定的，因爲他們同時也失去了生命中最寶貴的東西，伍子胥失去了好友和祖國，夫差失去了國家與民心，句踐失去了尊嚴與人性。

這三個人中，伍子胥和夫差更讓人欽佩一些，至少他們還是性情中人，雖然因爲政治上的不成熟慘遭滅頂，可終究也以死亡保住了自己的尊嚴與人格。相較之下，句踐這個所謂的成熟政治家，雖然達成了夢寐以求的所謂大業，但他爲此所付出的代價，是無論多少大業也無法找回來的。

3 活著的和死去的

越王句踐自作用劍和吳王夫差自作用矛，先後在同一個地方出土，如果器亦有靈，恐怕會在夜深人靜的時候，代替他們的主人，再打上個三百回合。

隨著吳國的滅亡和夫差的自刎，本段復仇的歷史至此正式落下帷幕。節目的最後，來介紹一下本劇各大主角的最後結局，包括活著的和已經死去的。

首先說夫差。夫差死後，句踐以侯禮將其葬在秦餘杭山，一人一捧濕土，遂成大塚，面向太湖，春暖花開。

接著來說伯嚭。句踐當然不會讓這個卑鄙無恥的小人活在世上，命人將其及一家老小全部殺死，也算是給伍子胥報了仇。

再下來說句踐。句踐既平吳，乃率大軍，從好心人夫差留給他的兩條運河北渡江淮，與齊、晉、宋、魯等諸侯在徐州會盟，並向周天子進貢。周元王派人賞賜胙肉（祭祀專用肉），並封其爲「東方之伯」，正式承認他的諸侯霸主地位。

越國滅周王名義上的伯父夫差，周天子不但沒有責備，反而加封其位，眞夠窩囊的，看來這個世界還是拳頭硬好使。

句踐嚐到了當霸主的滋味，隨後開始學夫差，經營中原之地，先是興建新都琅琊（今山東膠南），將觸角伸到黃河以北，隨後率水軍橫行於江淮之地，耀武揚威。宋、鄭、魯、衛、陳、蔡、郲等君主，以及淮泗流域十二國，紛紛前來朝賀。

可是，這連番的軍事行動，觸及了同爲江南強國的楚國在江淮地區的根本利益。楚惠王深感威脅，遂出兵跟蹤越軍，欲與其瓜分吳地。

句踐此時還沒有和楚國打硬仗的打算，便將淮水上游五百里地盤割讓，又把吳國侵佔宋國的土地歸還給宋國，把泗水以東方圓百里的土地給了魯國，以土地換取和平與諸侯對其霸主地位的認同。

這就奇怪了！幹嘛放著大好的地盤不要呢？對此，清朝歷史學家顧棟高也提出了質疑：「夫越既滅吳，與齊、晉諸侯會於徐州，天子致胙。方與北方諸侯爭衡，豈有反棄江、淮之地，以資勃敵之楚耶？」

對呀！爲什麼呢？

其實，這一點恰恰說明了，句踐在政治上確實比夫差老練很多。越國怎麼說也就是個中小國家，連續用兵吳國十年之後，經濟軍事實力能否支撐它控制吳國所擁有的廣闊地盤，恐怕要打上一個問號。

連年累月的戰爭後，不管是越國高層，還是吳越兩地的百姓，都需要一個長時間的休養期來恢復生產，恢復元氣。硬要像夫差那樣不顧自身實力，以超乎其可以承受的速度擴張，只會讓整個國家不堪重負，於內憂外患下全面崩潰。

主人死了，老虎在狂笑，開始啃食主人的屍體，並將吃不完的一條大腿，留給了另外一隻來搶食的獅子。

句踐雖然不敢和齊晉楚等大國輕易爆發衝突，但對一些小國家，他還是有實力控制的，畢竟是春秋時代最後一位霸主，這個名分來之不易。

西元前四七一年四月，郲隱公無道，越王句踐發兵將他俘虜，立次子公子何爲君。十月，秦厲共公不遵越王號令，句踐調動十萬諸侯盟軍，西渡大河，進攻秦國。時值嚴寒霜雪，行軍異常艱辛。秦國畏懼，越國也不願眞打。兩軍尚未列陣，秦國便主動承認錯誤，賠罪求和，句踐乃還。

越軍將士爲此喜悅不已，集體創作了一首《河梁》詩：

渡河梁兮渡河梁，舉兵所伐攻秦王。

孟冬十月多雪霜，隆寒道路誠難當。
陣兵未濟秦師降，諸侯怖懼皆恐惶。
聲傳海內威遠邦，稱霸穆桓齊楚莊。
天下安寧壽考長，悲去歸兮何無梁。

——《吳越春秋．河梁詩》

這首充滿了喜悅與淡淡哀傷的小詩，道出了越國人民愛好和平的心聲。他們本以爲大王在滅掉死敵吳國後，從此就會和大家幸福地生活在一起了，沒想到這一切只不過是一個美夢。句踐雖然沒有如夫差那般野心誇張到駭人的地步，但一如所有的統治者，對戰爭和威名都有一種近乎狂熱的喜愛，所謂「天下安寧壽考長」，只不過是老百姓的美好願望。

是年閏十月，魯哀公被三桓輕視，一怒之下逃往越國，得到越太子鹿郢的保護。鹿郢將女兒嫁與魯哀公，並欲助其討回公道，三桓之首季氏饋贈財禮，得免。

西元前四七〇年五月，衛國爆發奴隸起義，國內大夫趁機起兵，討伐那個喜歡講江蘇話的衛出公。衛出公逃往宋國，又派人前往越國，請求越王幫助平定內亂。一年後，越國聯合魯、宋，護送衛出公回國。衛國大夫以重兵把守城門，衛出公不敢入城。越軍離開後，衛出公叔父自立爲衛悼公。衛出公無法復位，最終死在越國，實現了當年衛大夫子之的預言。

西元前四六八年春，越王句踐派使者曳庸出訪魯國，劃定邾、魯疆界，儼然國際員警。魯國沒了子貢這個外交達人（子貢已為衛相），打又打不過人家，只好越國說什麼是什麼。

隨後，句踐正式遷都山東琅琊，並在此建造了一座方圓七里的高台，以觀東海。一抖起來就大興土木，句踐原來和夫差一個德性。據《吳越春秋》記載，及後世史學家考證，越王遷都時一共帶了八千名死士、三百艘戈船（越人於水中負大舟，又有蛟龍之害，故置戈於船下，因以為名），三萬吳越移民，浩浩蕩蕩，何其壯觀！

琅琊遠離越國本土，應該屬於陪都性質，目的是爲了更好地控制北方諸侯，維護中原霸業，大本營還是在會稽。

是年四月二十五日，三桓之首季康子死。哀公藉弔喪之名返回魯國，是年八月，又圖謀借助越國力量掃除三桓，遭到反擊，避居於邾國，然後又逃回越國，這年也是《左傳》記載的最後一年。

第二年，越王句踐又發兵進攻三桓，護送魯哀公回國。但是，魯哀公依然徒有虛名，不久後鬱悶地死去。

這個時候，越國的勢力範圍已南抵閩中，西接鄱陽，東盡大海，北鄰齊魯，土地之博，至有數千里；人徒之眾，至有數百萬人。句踐的霸業，達到最頂峰。

可惜，這個世界上並沒有萬歲之君。一個人活著的時候，或許可以凌駕於萬人之上，但面對死亡，誰都是平等的，上天並不會因為某人的地位高而多給他一秒的時間。

西元前四六五年十一月，越王句踐病逝。

臨死之前，他對太子鹿郢說：「寡人在這個世上所建立的功業，不可謂不大。你要記住，爭霸容易，保住霸業就很難了，稍有不慎，就會落得跟吳王夫差一樣的下場，小心、小心、小心、小心、小心……」

兩千多年後，越王句踐自作用劍和吳王夫差自作用矛，先後在同一個地方（**湖北江陵望山**）出土，又在同一個博物館展廳相對陳列，供遊人觀賞。

有意思的是，就如這兩把武器主人的命運一般，吳王夫差自作用矛銹跡斑斑，越王句踐自作用劍卻寒氣逼人，光亮如新。更有意思的是，這兩個生前的死對頭，恐怕做夢也想不到，生前隨身佩戴的武器，會在他們死後數千年，在相隔不到幾百米的地方出土，又在相隔不到數米的地方展列。如果器亦有靈，恐怕會在夜深人靜的時候破框而出，代替他們的主人，再打上個三百回合。

寫到這裡，我似乎覺得好像還有什麼沒有交代……對了，本劇還有幾位重要人物的結局沒有介紹呢！不得了，幾位主角開始發脾氣抗議了，小生得趕快收拾心情，再堅持寫個幾千字，切切不能厚此薄彼。

范蠡，范蠡的結局如何呢？

他走了，揮一揮手，帶走無數片雲彩。

計然曾跟他說過的一句話：「越王為人，長頸鳥喙，可與共患難，不可與共榮樂。」對於老師的這句話，范蠡深信不疑。更何況他和句踐朝夕相處了二十幾年，這是什麼樣的人，他最清楚不過。

再說，范蠡本是一個楚人，給越王幹活，屬於雇傭兵性質，對於越國的興衰，他並沒有歷史責任，也沒有特別深厚的感情。

這一點，范蠡和伍子胥不同。伍子胥是個性情中人，有仇必報，有恩必還，即使為此失去性命，也在所不惜。而范蠡則是個冷靜的智者，他所做出的選擇，只順從理智，從不感情用事。

換句話說，伍子胥是個熱血派，范蠡是個哲學家。

一個哲學家，一個冷靜的智者，對於自己的人生是很有規劃的。范蠡幫助句踐復仇稱霸，完成了自己的政治抱負。剩下的時間，他打算轉換跑道，重新規劃職業生涯，去經商，挑戰人生另外一個高峰。

這很好理解，就像現在大公司的高管，在一個地方待膩了，就換一個心情，換一個地方，重新開始。有眞才實學的人，到哪都有飯吃。

像范蠡這種「花心」的人，絕對不會在一棵大樹上吊死的，他需要在各種不同的領域獲得成功，尋求各種不同的刺激。

而且，一個人給人家「打工」打久了，都會想當老闆，范蠡現在就想自己當當老闆，這樣就不用每天打卡上班，提心吊膽，看老闆的臉色行事了。

他找上句踐，要炒老闆的魷魚，說：「現在大王既已報仇雪恥，功成名就，不再需要范蠡了。而且我身居相位，時日已久，緊繃的神經到了崩潰的邊緣，請大王接受我的辭職，給我放永久的假吧！」

句踐本來就對范蠡、文種這些大功臣不放心，怕他們功高蓋主。現在范蠡主動要求放棄權位，他當然求之不得，但是身爲春秋最佳男演員，還是要好好展現一下演技，將表面功夫做足。

於是，他故作哀傷，擠出幾滴眼淚，假意挽留說：「天下的諸侯都肯定你，越國的百姓都信任你，寡人的霸業也需要你。現在你說要離開我，前往遠方，寡人就再也沒什麼可以依靠的了。范大夫，求求你，不要走，請你不要離開我……」

范蠡說：「天下沒有不散的筵席，大王，你就讓我走吧！」

句踐接著演戲：「不行，你留下來，我把國家分一半給你。你非要走，我就殺你全家！」

范蠡說：「既然決定要走，就再也沒有什麼牽掛，你要殺就殺！」

句踐見他去意已決，遂不再演下去，說：「好！你走吧！寡人會想念你的。」

范蠡躬身道：「請大王自勉，范蠡就此告辭。」說完收拾包袱，帶上西施，乘一葉小舟，出三江，入五湖，只羨鴛鴦不羨仙，泛遊天下去也。

范蠡終於走了，他的背影為世界留下一個傳奇，他的歌聲在煙波浩渺的太湖上飄蕩：走吧！走吧！為自己的幸福找一個家……

以上是小說家的寫法，歷史並沒有那麼浪漫。事實上，西施沒能跟著范蠡走，早被越夫人搶先一步，派人扔到大江裡去了，還編了個冠冕堂皇的理由說：「此亡國之物，留之何為？」

這個理由很爛，估計越夫人是怕西施的美貌對自己的王后之位產生威脅，把醋罈子給弄翻了。（此記載見先秦典籍《墨子》）

另外，范蠡走時，也不會只乘一葉小舟。他在越國當官那麼多年，估計在吳國也搶了不少，一定積累了巨大的財富，沒有幾艘大船根本搞不定。我這樣說是有根據的，范蠡是個大生意人，沒有一點本錢，怎麼可能起家？你不要跟我說范蠡天縱英才，可以在短短幾年內，從一個窮光蛋搖身一變成為大資本家。

另外，史記上說范蠡曾三致千金，兩次散盡家財，從頭再來，此言不可信。估計范蠡是使用「欲先取之，欲先與之」的生意經，分些好處給顧客，做口碑來的。你要說他高尚到把所有錢財統統散光，我絕對不信。

接著，我們來說說范蠡到底是怎麼發家的。

據說他離開越國後，乘船來到齊國，改了個稀奇古怪的名字，叫「鴟夷子皮」。據台灣歷史小說家高陽的推測，取這個名字，是因為鴟夷是用牛皮或馬皮做的酒囊，用得著時，虛能受物，腹大如鼓，用不著時，可掩而藏之。范蠡以此自況，正是君子用行捨藏的意思。

然而，這個理由說不太通。范蠡這個人可高調得很，即使到了齊國，也還不斷地出鋒頭。先是在海邊開了個養殖場，靠養魚貝珍珠大發利市，很快賺到了幾十萬錢。齊國人看他如此厲害，就請他來當官，掌管經濟。

但是他當官沒幾天，就覺得這個工作沒有挑戰性，遂辭官不做，跑到經濟開發區陶地（今山東定陶），又換了個名字叫「陶朱公」，先做牛羊買賣，後做高利貸生意，沒過多久，家資積累到上億，一躍成為比爾．蓋茲級的人物。最終與在晉國鹽池販鹽的猗頓，以及衛國的官僚資本家子貢，並稱春秋三大富豪。

范蠡的又一次成功，得益於最終找到了賺錢的最快法門——放高利貸。作為中國歷史上第一個吃金融業螃蟹的商人，暴富自然無比簡單。

接下來，看看文種。

文種這個人，又和范蠡不同。他沒有商業頭腦，除了讀書當官，其他什麼都不會，所以范蠡可以想走就走，他卻不能走，也捨不得走。

臨走之前，范蠡曾經勸過文種，說：「人生命運有盛有衰，幸運至極，必遭厄運。能夠懂得進退之道，而又不失正義的人，才是一個眞正的賢人。所謂飛鳥盡，良弓藏；狡兔死，走狗烹。越王句踐這個人，脖子長長，嘴巴尖尖，看人像鷹，走路像狼，可以共患難，不可同富貴。你也走吧！否則早晚性命不保。」

「飛鳥盡，良弓藏；狡兔死，走狗烹」，范蠡輕輕鬆鬆就爲我們創出一句經典哲言，果然是個哲學家來的。

對於范蠡的話，文種並沒有放在心上，他是那種典型的聰明一世、糊塗一時的人，根本不相信句踐會害他，反而認爲范蠡很傻，到手的權位都不知道要。

嘿嘿！這樣更好，少了一個跟我爭權的人。

范蠡走後，句踐非但沒有殺范蠡的妻兒，反而加封了百里土地給范家，這個地方叫苦竹城（今紹興縣婁宮鎮），距離山陰城十八里。並下令：有誰敢侵擾我范弟弟的家人，嚴懲不貸！

不僅如此，句踐爲了寄託自己的思念，還叫工匠用黃金給范蠡鑄了一尊像，開會的時候，放在寶座旁邊，就好像他沒有走，還在和大家討論政事一般。

文種見句踐如此念舊，如此重感情，心中十分感動，覺得范蠡眞的是多慮了。我們大王是個大大的好人，他怎麼可能加害立有大功的忠臣呢？

錯了！很傻很天眞的不是范蠡，恰恰是他自己。

既然已經大功告成，句踐就不再需要居功自傲的所謂忠臣了，他需要的是一個老實聽話的手下，如果誰硬要跳到他頭上，他會毫不留情地殺掉對方，就像夫差殺掉伍子胥那樣。

可是，文種並不懂得藏拙，他不但沒有乖乖聽老大的話，反而越發驕傲，甚至經常遲到早退，動不動就耍脾氣不上朝。

這樣的員工，老闆怎麼會喜歡？句踐於是動了殺機。朝中的小人們見句踐開始不待見文種了，紛紛進讒言，說文種心懷怨懟，想犯上作亂來著。

歷史要重演了，當君主想要使壞，卻又苦於沒有好點子時，總有所謂的奸臣小人跳出來一展身手。只是費無忌、伯嚭，好歹在史書上留下了名字，越國這幾個奸臣的名字，卻被史官自動忽略了。

有人告狀，這事情就好辦了。句踐很快將文種找過來說：「你的胸中懷有陰謀兵法，能夠消滅敵人，奪取國家。比如說你的滅吳九策，就爲寡人攻破了吳國，端的是厲害得緊哪！」

文種見句踐提起自己的功勞，還以爲老大要封賞他，大喜說：「嘿嘿！小意思啦！我胸中還有很多計謀沒來得及用，吳國就滅亡了，可惜……」

句踐笑道：「沒什麼好可惜的，寡人有個主意，您不如到地下去，爲越國的先王對付吳國的祖先，也免得浪費了高才，如何？」

晴天霹靂！范蠡說中了，句踐這小子眞的要殺我！

這可眞是樂極生悲了。文種痛苦地伏倒在地，繼而仰天長歎：「哎呀！我後悔呀！要是早點聽范蠡的話，我就不會落得如此下場了。」

句踐不理，扔下那把曾飽飲伍子胥鮮血的屬鏤劍，昂首而去。

「屬鏤劍？」文種撿起寶劍，突然大笑，「居然是那把殺死伍子胥的屬鏤劍！哈哈哈！我用反間計害死了伍子胥，如今這把兇器又加到了我的項上，莫非是天意？哈哈哈哈……」

同伍子胥、夫差一樣，臨死之前，文種也留下了一句遺言：「南陽之宰，而爲越王之擒！後百世之末，論者必以吾配伍子胥，而忠臣必以吾爲喻矣。」

意思是：我這個楚國南陽的地方官，現在竟然被越王擒獲了！百世之後，後人們一定會拿我和伍子胥相提並論，忠臣們也一定會拿我來作比喻。

眞不要臉！自誇是忠臣，還拿自己和伍子胥比較，比得過嗎？

事實是，後人說文種不智的，遠比說他忠誠的要多得多。文種雖然也是個人才，卻被籠罩在伍子胥和范蠡的光環之下，根本沒辦法如他所願，流芳百世。而他的那句遺言，也沒辦法成爲千古名言，沒沒無聞地流失在了歷史長河之中。

文種伏劍自殺，句踐大喜，將他埋葬在山陰城外的西山，發樓船卒三千餘人，爲他建造了一條呈鼎足狀深入山底的墓道，後人因此將這座山稱爲種山。

傳說，文種葬後一年，伍子胥從海上駕潮而來，衝開墳墓，把他帶走。這兩個生前的冤家，同死於一把寶劍，死後居然又攜手同遊於海上。伍子胥在前，曰「潮」；文種在後，曰「汐」。生殊途，死同歸，眞可謂造化弄人。

最後，講一下越國的結局。

句踐死後，他的子孫後代們，憑藉著老祖先留下的基業，仍然風光了好幾十年，直到西元前四四九年，句踐的孫子不壽（瞧這名字取的）被太子朱句殺害。從此，越國陷入無休止的宮廷內亂之中，三代越君不得好死，國家衰弱下去。

越國變得衰弱，它的國君們反而越來越窮兵黷武。

西元前四一五年，越王朱句發兵攻滅滕國（今山東滕州）。第二年，又攻滅郯國（今山東郯城），郯國君主鴣被俘。

西元前四〇四年，越王翳（朱句之子）趁齊國執政者田和子地位尚不穩固，又發兵討伐齊國。當時，繒國（今山東棗莊）倚仗齊國的勢力，輕視越國。越王翳聞訊大怒，下令討伐繒國，一戰將其攻滅。

隨後田氏代齊，進入戰國時代，日漸強大的齊國，開始清除越國在山東的勢力。西元前三七九年，越王翳在齊國的軍事壓力下，被迫將都城遷回姑蘇，至此，中原霸業重歸爲零。

但是，吳越好戰的基因，並沒有因爲地盤的縮小而稍減半分。西元前三三五年，句踐的六世孫無強（瞧這名字取的）又蠢蠢欲動，開始與諸侯爭強，四處興兵，北伐齊，西伐楚，徹底惹惱了鼎鼎大名的楚威王。

西元前三三四年，楚威王興師伐越，殺死越王無強，盡取故吳地，直至錢塘江，越國從此分崩離析，各族子弟們變成一盤散沙，有的稱王，有的稱君，居住在錢塘江以東沿海，服服貼貼地朝貢。

楚吳越數百年的爭鬥，還是楚國笑到了最後。

時間洗滌百年血仇，默默地拉下春秋的帷幕，戰國時代開始了。

【後記】

吳越相爭，究竟告訴了我們什麼？

● 江湖閑樂生

文化遠比戰爭要來得重要。中華民族屹立於世界數千年而不倒，靠的就是這一點。我們研究歷史，也該從權謀戰亂紛繁的表象跳出來，從文化的角度看問題。

寫作本書的數百天裡，我白天是一個普通的上班族，朝九晚五，爲生計奔波，普通得不能再普通。可到了晚上，回到宿舍的斗室中，在昏黃的檯燈下打開電腦，開始寫作，就發現自己變成了另外一個人，一個看似正常，其實走火入魔，心靈流浪在那遙遠時代的怪異少年。

這個少年的名字，叫做江湖閑樂生。他的肉體雖然活在現代，但靈魂穿越千年，與古人靈犀相通，和光同塵，甚至分不清自己到底是個旁觀者，還是一個親歷者。那個中華民族生命力最活潑旺盛、最朝氣蓬勃的時代，已將他深深吸引，深深迷倒，幾乎不能自拔。

如今，吳越的歷史完結，他終於回到現代，重新返回自我，成為冷眼旁觀者。

吳越這兩個僻居東海的小邦，為何能如此迅速地崛起，又如此迅速地覆滅？這段歷史，究竟告訴了我們什麼？

一切，都與吳越的文化以及基本戰略有關。

吳國公子季札作為文化使節，訪問中原各國的外交活動，是吳國正式開始崛起的標誌。我們千萬不能小看這次文化活動，它非常重要，比戰爭還重要。

中華民族一直是個重視文化的民族，所謂「華夷大防」不可輕違。楚國在春秋戰國時期，大多數時間佔據了中國的半壁江山，但始終無法統一天下，原因就在於此。即便是戰國中後期的秦國，由於身背了「半蠻夷」之名，就算實力甩開六國不知多少，仍要花百餘年的時間完成統一大業，且不能長久。

吳國雖與華夏同源，但多年僻居南海之濱，不與中原交通，中原也一直以蠻夷視之。在這樣的背景下，即使國力再雄厚，也得不到華夏的文化認同，不可能參與「國際事務」，稱霸更是無從談起。

這時候，季札卻以蠻夷之客的身份訪問列國，展示了自己豐富的學養與高尚的德行，也展示了吳國深厚的周文化底蘊。他的禮樂精神與仁德之舉，甚至連周文化的領軍人物孔子都推崇備至。

更重要的是，季札還讓天下人認識到，吳國的先祖其實是周朝先祖的兄長兼恩人，吳國與中原血脈相連，同氣連枝，是眞正的一家人。荊楚民族之楚國才是眞正的外族，是大家共同的敵人。

由此可見，吳國之所以能迅速崛起，並擊敗強大的楚國，不僅僅是因爲楚國君臣腐敗，而吳國君臣勵精圖治，更與文化上的優勢有關。正因得到了「國際社會」道義上的支持，所以淮泗流域的陳、蔡等華夏諸侯，才會叛楚投靠，幫助它取得霸業。

文化上的認同，正是吳國得以稱霸的根本原因。陳蔡的國君受到楚相囊瓦的侮辱，這只不過是一個契機。

越國的崛起，則大體是由於戰略上的原因，或者說，它鑽了吳國戰略失誤的空子。

對於如何保住霸業，吳王闔閭與伍子胥有著非常清楚的認識與明確的戰略。吳國以東海小邦之姿，將強楚破國滅都，無論從哪方面看，都屬於一夜暴富的暴發戶，根基並不牢固，妄想長期佔據龐大的楚國，簡直是癡人說夢，更何況在吳國的背後，還有一個彪悍的越國不時搗亂，所以明智地見好就收，發了筆橫財後就退出楚地，想等積累了足夠的實力，將越國吞併，徹底去掉後顧之憂，再北上爭奪中原霸權。

一般來說，一個超級強國的定義，在於能同時打贏兩個方向的局部戰爭。顯然，吳國不屬於此列，所以吳王闔閭和伍子胥的戰略基本是正確的。

很可惜，闔閭的繼任者夫差並沒有堅持這個戰略，他擊敗了越國，卻沒有加以吞併，反而舉傾國之力北上與齊晉爭霸，結果養虎遺患，被天下最可怕的陰謀大師越王句踐鑽了空子，身死國滅。

吳國本來是很有希望的，它在貴族文化上與華夏同源，在平民文化上又與百越同根，吞併越國，不會有任何文化上的阻力。如此巨大的優勢，夫差卻不懂得運用，除了可惜，還是只能說可惜。

如果說吳國是暴發戶，那越國就是貧民百萬富翁了，世系不清楚，只知道是先禹之苗裔，中間一段歷史基本空白，再加上文化落後，國小民貧，除了士卒比較勇敢善戰，好像找不出強處。比起吳國，它的衰亡顯得相當自然。它滅掉吳國，本來就是一次歷史的偶然，成功之後，又拒絕接受中原文化（史書記載，越王稱霸後，孔子曾來到越國傳播文化，卻被婉拒。范蠡、文種之後，也不見再有過什麼中原人才），還屢屢侵伐中原，結果國力耗盡，最後爲楚國所滅。

事實證明，四面出擊的暴發戶，往往沒有好下場。歐洲的傳統強國——德國，將領老毛奇和史蒂芬都明白兩面作戰不利的道理，然而德皇與希特勒不聽，結果兩次世界大戰因此而敗，豈不發人深省？

中國有亂世務邊之說，觀察春秋諸霸及歷來戰亂時代負嵎割據的情況，就知道秦國范睢發明的「遠交近攻」大戰略，對國際爭霸是多麼重要。以史爲鑑，吳越之興衰，對分析當今國際局勢，不無裨益。

以上講了這麼多，無非是想說，文化遠比戰爭要來得重要。中華民族能屹立於世界數千年而不倒，靠的就是這一點。我們研究歷史，也該從權謀戰亂紛繁的表象跳出來，從文化的角度看問題。

歷史是用古人的鮮血與生命寫成的，更是用古人的精神與文化寫成的。歷史，就是精神與文化的傳承，華夏族與百越族相融而成的吳越文化，乃中華民族精神中非常可貴的組成部分。如果筆者能藉此文，稍稍爲大家展示一下偉大民族與先民的文化歷程，也就不枉數百天的辛苦了。當然，其中的快樂自不待言。

・全書完

春秋那些事兒

下卷 秦穆公·楚莊王

Those things about
Spring and Autumn Period time

精采完結

江湖閑樂生 著

全程演繹春秋五霸崢嶸歲月

遙遠的春秋時代，曾有五位各領風騷的英雄霸主，從最瘋狂的浪潮中脫穎而出，改變了整個時代。他們是豁達風流的齊桓公小白、癡情固執的宋襄公茲父、重義頑強的晉文公重耳、溫柔敦厚的秦穆公任好、才華橫溢的楚莊王熊侶。宮廷殺戮與政治流亡，大國崛起與鐵血權謀，五位英雄霸主各領風騷！看著這段激情四射、絢爛精采的歷史，你會驚喜地發現，原來春秋如此生動有趣。

三國大軍師
Three Kingdoms
Sima Yi
司馬懿
曹操一生中最提防的人，
諸葛亮一生中最頭疼的對手
看三國版德川家康，司馬懿如何運籌帷幄謀奪天下，
如何掠奪曹操的戰果，如何對抗諸葛亮？

Thick Black Theory is a philosophical treatise written by Li Zon
a disgruntled politician and scholar born at the end of Qing dyn
It was published in China in 1911, the year of the Xinhai revolt
when the Qing dynasty was overthrown.

全新白話編修版

Thick Black Theory

Thick Black Theory

Thick Black Theory is a philosophical treatise written by Li Zongwu, a disgruntled politician and scholar born at the end of Qing dynasty. It was published in China in 1911, the year of the Xinhai revolution, when the Qing dynasty was overthrown.

白話厚黑學大全集

林語堂、南懷瑾、柏楊、李敖 四名大師
一致讚賞的驚世奇書

用厚黑圖謀一己私利，是極卑劣的行為：用厚黑圖謀眾人公利，是至高無上的道德

現實的社會充滿陷阱，處處可以見到欺騙，詭詐，巧取豪奪；
複雜的人性捉摸不定，有時散發著善良的光輝，有時流露著醜陋的慾望，
人不能只有小聰明，卻沒有大智慧；厚黑學不是教你賣弄聰明、耍奸玩詐，
而是教你看穿人性、修練人生，認清誰正在對你使詐。

當我們熟讀厚黑學，就會知道所謂英的英雄、偉人都是厚黑高手，
世間既厚又黑的人到處都是，應付人情事故的時候，
就不會被厚黑之輩愚弄了……

Thick Black Theory is a philosophical treatise written by Li Zongwu,
a disgruntled politician and scholar born at the end of Qing dynasty.
It was published in China in 1911, the year of the Xinhai revolution,
when the Qing dynasty was overthrown.

公孫龍策

厚黑教主 李宗吾

春秋那些事之吳越爭霸
卷二：崛起與覆滅

作　　者　江湖閑樂生
社　　長　陳維都
美術總監　黃聖文
編輯總監　王　凌
出 版 者　普天出版社
新北市汐止區康寧街 169 巷 25 號 6 樓
TEL / (02) 26921935 (代表號)
FAX / (02) 26959332
E-mail：popular.press@msa.hinet.net
http://www.popu.com.tw/
郵政劃撥 19091443 陳維都帳戶
總 經 銷　旭昇圖書有限公司
新北市中和區中山路二段 352 號 2F
TEL / (02) 22451480 (代表號)
FAX / (02) 22451479
E-mail：s1686688@ms31.hinet.net
法律顧問　西華律師事務所・黃憲男律師
電腦排版　巨新電腦排版有限公司
印製裝訂　久裕印刷事業有限公司
出 版 日　2018 (民 107) 年 8 月 第 1 版
ISBN◉978-986-389-528-2　條碼 9789863895282

國家圖書館出版品預行編目資料

春秋那些事之吳越爭霸 卷二
江湖閑樂生著. —第 1 版. —：新北市, 普天
107.08 面；公分. - (群星會；160)
ISBN◉978-986-389-528-2 (平裝)

群星會
160

普天之下・盡是好書

普天出版家族
Popular Press Family

凌雲文創
A-Plus Creative Company